名作うしろ読み

名作要從最後一句開始讀？

解讀古今東西文豪132部經典名著的結尾品味

名作うしろ読み

齋藤美奈子——著
王華懋——譯

前言

「穿過縣界漫長的隧道，便是雪國。」（川端康成《雪國》）

「木曾路整段都在山中。」（島崎藤村《黎明前》）

即使沒有實際讀過作品，不知為何，每個人都知道這些文學名著的開篇第一句，也就是「頭」的部分。那麼同一部作品的最後一句，也就是「尾」，各位可知道嗎？

不知道？我想也是。

既然如此何不來調查一番？這便是本書的主旨。

名著的「頭」被視若珍寶，眾口交譽；「尾」卻慘遭無視，這是為什麼？我似乎可以聽到這樣的答案：

「要是知道結局，閱讀樂趣就會大打折扣。」

「我不想還沒讀就知道主角會是什麼結局。」

近年來，為了避免所謂的「爆雷」，絕口不提小說劇情或結局的風潮愈來愈盛。

但我要反過來主張：**爆雷又怎樣？**

只是知道了結尾就樂趣大減的作品，打從一開始就不具多少價值。倒不如說，書評假使一味顧慮那些不知道結局「還沒讀的讀者」、「根本不會讀的讀者」，根本是自殺行為。此舉正證明了閱讀淪為消費，評論淪為宣傳。

我們都知道莎士比亞在《哈姆雷特》裡，最後讓哈姆雷特死掉了；也知道夏目漱石的《少爺》尾聲，少爺離開了四國。但即使知道，《哈姆雷特》和《少爺》的魅力也不可能因此減損。因為它們可不是這幾天才剛上市的新書。若要稍微強勢地重新定義，那麼所謂「古典」、所謂「名著」，就是人們某種程度上共享內容的作品，是即使點出「尾」也毫無問題的作品。

對於那些還沒有實際讀過作品的人，我想要將這句話送給他們：

「少在那邊囉哩囉唆，書拿起來讀就對了！」

只有這一點我可以打包票：「讀過的人」，一起聊書絕對更有趣！

目次 CONTENTS

2 女孩的選擇

戀愛、婚姻、離別、獨立。
人生大事可不是裝飾。

3 男孩的生活方式

虛張聲勢、我行我素、自取滅亡。
男人的人生這回事啊……

4 怪奇物語

幻想及妄想皆是文學的沃土。大人的奇幻世界可一點也不甜美。

5 兒童的時間

學習、玩耍、勞動。
每個人都在踐踏中日漸茁壯。

6 風土的研究

只有實際走過才知道。這個國家的人、自然、歷史和文化。

7 家族的未來

夫妻失和、親子反目、家計艱難。每一個家庭揭開來都不忍卒睹。

1

青春群像

失戀、煩惱、動不動就想死。

青春這回事實在是……

”

三四郎沒有答腔，只是口中反覆喃喃著：迷途羔羊、迷途羔羊。

——夏目漱石《三四郎》

所以阿清的墓就在小日向的養源寺。

夏目漱石《少爺》　坊っちゃん，一九〇六年

《少爺》的書名為什麼是「少爺」？

少爺從東京的物理學校[1]畢業後，前往四國松山的舊制中學任教，成為菜鳥數學教師。夏目漱石的《少爺》問世已百餘年，松山至今依舊是少爺的小鎮，有少爺列車、少爺棒球場，甚至還有當地名產少爺糰子！

話說，《少爺》的書名為什麼是「少爺」呢？

《少爺》是以「我」為敘述者的第一人稱小說。狸貓校長、紅襯衫教務主任、菜瓜、馬屁精和豪豬同事，以及半熟瓜的未婚妻瑪丹娜等等……作品中有許多以綽號稱呼的角色，但那些都是「我」任意起的綽號，就和《我是貓》裡的貓一樣，「我」本身並沒有名字。中學裡的惡童們給主角起的綽號則是「紅毛巾」。然而，「少爺」的稱呼究竟是打哪來的？

從結尾重讀小說，才總算瞭解箇中緣由。

「忘了提到阿清的事。」主角在最後以這句話提起的，是一輩子庇護著「我」的奶媽阿清。

「阿清在過世前一天叫我過去，說：少爺，求您了，等我死了，請將我葬在少爺家的寺院墓地裡，我會在墓裡等著您。所以阿清的墓就在小日向的養源寺。」

沒錯，「少爺」是奶媽阿清對他的稱呼。只有過世的阿清一個人這麼叫。記著這一點從頭再讀，一般咸認大快人心、勸善懲惡劇的《少爺》的印象便得到了修正。《少爺》這部作品其實是一封寫到一半、半途而廢的給阿清的長信，爾或追悼？作品中浮現出一個在最心愛的奶媽面前，拚命逞強稱能的男孩形象。

開頭的「**遺傳自父親的魯莽脾氣，讓我自小便沒少吃過虧**」，讓我們認定「我」是個活潑的血性男子。但是在近年的文學研究中，《少爺》是隱藏著陰暗面的失敗者文學，這樣的觀點已經廣受認同。對「我」而言，阿清才是他的瑪丹娜。所以小說才不是結束在松山，而是以東京奶媽的墓地畫下句點。

井上廈[2]在《自家製文章讀本》如此評論：這個「所以」是日本文學史上最美的「所以」。我完全同意。

● 夏目漱石（Natsume Souseki，一八六七～一九一六）主要作品有《我是貓》、《心》、《明暗》等。曾在松山和熊本擔任英語教師，後赴英國留學兩年。歸國後，接替列夫卡迪奧·赫恩[3]於東大執教英國文學，後轉職寫作，留下許多名作。

1. 現東京理科大學。
2. 井上ひさし，一九三四～二〇一〇，日本小說家，曾榮獲直木獎、菊池寬獎。
3. Patrick Lafcadio Hearn，即希臘裔日本小說家小泉八雲。

故讀者毋需妄加揣測。

森鷗外《雁》 雁，一九一五年

味噌鯖魚引發的悲劇

相對於漱石筆下的青年現在仍頗受喜愛，鷗外筆下的青年多半風評不佳。因為他們太英俊、太有女人緣了。是那種會將飛黃騰達和愛情放在天平上衡量，最後選擇飛黃騰達的男人。《舞姬》如此、《青年》也不例外，《雁》或許也依循同樣的脈絡。

「這是段陳年往事了。我碰巧記得，這是明治十三年的事。」如同這樣的開頭，小說採取的形式是從第三者的立場，向讀者陳述與「我」在同一處賃屋而居的醫學生岡田，和住在無緣坂「有格子門的人家」的阿玉之間的一段情。

岡田是個美男子。阿玉私心愛慕著每天經過家門口的岡田。有一次岡田擊退攻擊小鳥的蛇，兩人因此契機有過短暫的互動，卻沒有更進一步的發展。然而有一天，想要擺脫「高利貸的小三」身分的阿玉立下決心，在屋外等待岡田經過。

然而偏偏這天，賃屋處的晚飯是「我」討厭的味噌鯖魚。因此「我」邀岡田出門吃飯，經過平日的路線，但因為「我」在場作梗，阿玉不便向岡田攀談。而且這天是即將出國的岡田退租的前一天。

晚飯菜色導致了這場陰錯陽差的意外，可說是味噌鯖魚引發的悲劇！

但是《雁》的結局相當奇妙。最後，「我」直接向讀者說明這部小說寫成的經緯，稱一半是自己的見聞，一半是後來認識阿玉，從她那裡聽來的。咦？你是什麼時候、怎麼認識阿玉的？「我」辯解說這不屬於故事的範疇。「不過，我不具備成為阿玉情人之要件，這一點自不待言，故讀者毋需妄加揣測。」

這不是更教人猜疑了嘛！說什麼自不待言，自己和岡田並不一樣，不夠格當阿玉的情人。聽到這話，反而更讓人好奇。

仔細想想，《雁》全篇瀰漫著對天然呆角色岡田的輕微嫉妒。「我」是不是打從一開始就想妨礙阿玉的情路？這種收尾，簡直就是追不到女人的男人對著讀者遷怒。

《雁》這個書名來自岡田扔石頭打中池塘裡的雁鳥，砸死了鳥的一段。雁當然是阿玉的隱喻。「我」和岡田果然都是有點討厭的傢伙。

4. ヰタ・セクスアリス，出自拉丁語，中譯為「性慾的生活」，為森鷗外的短篇小說作品。

● 森鷗外（Mori Ougai，一八六二～一九二二）主要作品有《舞姬》、《*Vita Sexualis*》[4]、《高瀨舟》等。加入陸軍擔任軍醫，爬上軍醫最高地位的軍醫總監、醫務局長，同時從事翻譯、創作、評論等，留下諸多傑作。

彷彿這風的餘韻之物，亦在我腳邊動輒將兩、三片落葉吹過堆積的落葉之上，微弱地作響……

堀辰雄《風起》 風立ちぬ，一九三八年

送別罹患結核的未婚妻之後

「起風了！唯有試著活下去。」應該有許多讀者對於引自保羅・瓦樂希[5]詩作的這一節印象深刻。堀辰雄《風起》的舞臺位在八岳山山麓，這部自傳小說描述了作者與罹患結核而住進療養院的未婚妻節子最後的時光。

「在那些夏日時光裡，妳站在芒草叢生的草原上，專注地揮灑畫筆，這時我總是躺在旁邊那棵白樺樹的樹蔭裡。」如此的開頭，已是一幅抒情畫，或者說宛如過去的少女漫畫。不過，緊接著一陣強風颳過，吹倒了節子的畫架，猶如一道不祥的預兆。《風起》當中，關鍵場面經常有風來攪局。

如此這般，小說的結尾也有風吹過。這時節子已經過世，「我」下榻在淺間山山腳。那裡一片寂靜。「大老遠吹來的風」吹得枯枝沙沙作響。

「此外，彷彿這風的餘韻之物，亦在我腳邊動輒將兩、三片落葉吹過堆積的落葉之上，微弱地作響……」

這樣的結尾應當解讀為百感交集吧。之所以這麼說，是因為在《風起》中，「我」想將自己和節子這段故事寫成小說，而且正在煩惱該如何收尾。雖然覺得對來日無多的情人牢騷「**我實在想不到好的結局**」，這種男人實在很有問題，但「風的餘韻」這樣的寫法，應該顯示他的心境已是雨過天晴。如果從少女情懷的角度來解讀，這「風的餘韻」也可以解釋為是已逝的節子捎給情郎的訊息。節子化成了輕輕吹動落葉的徐風，細語：「看，我就像那個夏天一樣，就在這裡。」……想太多？

但這樣簡直像唱著「我已不在墳墓裡」的那首〈化為千風〉[6]；再說節子從頭到尾就像微風一樣，毫無存在感。「我」或許對這淒美過頭的收尾心滿意足，但節子又作何感想呢？

小說並未直接描寫節子的死。節子最後一次登場是一九三五年十二月五日，之後就此消失，終章是隔年一九三六年十二月，結尾是十二月三十日。這天會是節子的祭日嗎？

5. Paul Valéry，法國象徵主義詩人。堀辰雄於《風起》中引述的即為其名詩〈海濱墓園〉中兩句話：「Le vent se lève, il faut tenter de vivre.」。

6. 源於一首紀念已逝近親的英文詩，後由芥川獎得主新井滿翻譯後譜曲傳唱。歌詞中死者安慰生者，說自己「並不在那裡（墳墓裡）」，而是化為千縷風吹著。

• 堀辰雄（Hori Tastuo，一九〇四～一九五三）主要作品有《聖家族》、《菜穗子》等。就讀舊制一高時，得到室生犀星、芥川龍之介賞識，以芥川自殺為題材的《聖家族》獲得文壇肯定。後罹患結核，療養生活中持續寫作，於四十八歲逝世。

然後，我穿過被電影看板畫點綴出詭奇趣味的京極大街離去。

梶井基次郎〈檸檬〉　檸檬，一九二五年

其實是戳破階級社會的小說？

梶井基次郎的作品雖然簡練，卻迷離難解。〈檸檬〉亦是如此。在丸善書店的書架上放一顆檸檬，所以咧？記得我高中時讀完後仍大惑不解。

小說從「**一團無以名狀的不祥之兆始終壓在我的心上**」展開。這導致「我」無法繼續享受過去所喜愛、名流雅士般的（上流）世界。取而代之，「我」被窮酸廉價的（下流）世界所吸引。「這是怎麼一回事？」「我」納悶著。「**原本充盈心中的幸福感不斷地流失。香水瓶和菸管再也無法吸引我分毫。**」

時隔許久重讀此作，我一陣驚呼。原來〈檸檬〉是一部戳破階級社會的小說！

當時丸善書店專營進口書籍和進口文具，是時尚的代名詞。而「我」沉浸在這樣的幻想中：將街上蔬果店買來的「**燦爛金黃的可怕炸彈**」裝設在丸善書店內，「**倘若丸善以美術書區為中心發生一場大爆炸，不知道會多有趣！**」

「我」沉迷於這個想像。「如此一來，那憋悶的丸善也會被炸得粉碎吧！」「然後，我穿過被電影看板畫點綴出詭奇趣味的京極大街離去。」

小說就此結束。在上流世界設下炸彈的「我」再次返回俗惡的世界。對比「丸善的美術書區」和「電影看板畫」之後納入結尾的視野，〈檸檬〉霎時染上了社會性。

〈檸檬〉完成的大正末期至昭和初期，華麗的現代主義文化在都市地區開花結果，同時《女工哀史》所象徵的貧窮也浮上檯面，是一個嚴重的階級社會。當時二十三歲的梶井基次郎從三高考進東京帝大，卻也飽受肺病和負債所折磨。

雖然只存在於想像，但「我」設下的檸檬炸彈，讓人感覺到想要同時破壞自身的「不祥之兆」與丸善式矯揉造作世界的衝動。他媽的，去你的舶來品！懷有這種衝動的青年，感覺現代都市也有不少？

與〈檸檬〉同年出版的細井和喜藏的《女工哀史》，是描寫紡織女工勞動真實樣貌的紀實報導。我原本以為它和〈檸檬〉完全沾不上邊，萬萬沒想到有這樣的共通點。

- 梶井基次郎（Kajii Motojiro，一九〇一～一九三二）主要作品有《櫻花樹下》（桜の樹の下には）等。十多歲罹患肺病，在病痛中掙扎寫作。創作深受志賀直哉和波特萊爾[7]影響。肺結核離世前夕總算獲得文壇肯定，死後聲譽更高。

7. Charles Pierre Baudelaire，法國先驅詩人，代表作包括《惡之花》、《巴黎的憂鬱》等。

他知道能克服這次危險，靠的是自己的力量。

三島由紀夫《潮騷》　潮騷，一九五四年

滿溢戰後氣息的小島之戀

三島由紀夫的《潮騷》從小島明媚的風光揭幕。

「**歌島是一座人口一千四百、方圓不到一里的小島。**」

歌島的原型是伊勢灣口的神島（三重縣鳥羽市）。小說中，一段觀光導覽般的描寫後，「**一名年輕漁夫**」登場了，接著透過他的目光，出現「**一名陌生少女**」。先有舞臺，接著鋪陳情節。這座小島肯定帶給作家強烈的靈感。

男主角久保新治是一名漁夫，女主角宮田初江則是海女。《潮騷》描寫這對青年男女相遇直到訂婚，劇情單純到幾乎稱不上戀愛小說，也經常被拿來和古希臘傳說《達夫尼和克羅伊》[8]相比較。

但實際上這部作品並沒有那麼古典或田園情懷，而是處處充滿著「戰後」氣息。其中最富象徵性的，應是兩人互訴衷曲的地點是「觀哨臺遺址」這部分。直到日本敗戰前，觀哨臺都是陸軍監測對岸發射試射彈著彈點的設施。正是在這已然化為廢墟之地，初江向新治呼喚「**跳過火來**」。戰爭早已離去，他們和隔年出版的石原慎太郎《太陽的季節》[9]同屬戰後世代。

在最後一幕，兩人的自尊心也複雜交錯。外套內袋裡放著初江照片的新治，克服了降臨海上的一場危機。初江認為自己的照片守護了情郎，眼中「浮現自豪之色」，然而小說卻大翻盤似地如此接續：「**年輕人挑了挑眉。他知道能克服這次危險，靠的是自己的力量。**」

喔？居然挑眉！感覺就像草食系男子突然化身為肉食系。

新治乍看之下樸實不起眼，但他胸懷大志，想要取得一等航海士的資格，將來購買一艘運煤船。相對於此，初江是船東的女兒。即將成為船東女婿的新治，往後事業肯定愈做愈大，成為一個深信成功「靠的是自己的力量」的精明老闆。這是牽動日本經濟的世代之戀。結尾一句話，愈看愈像是高度經濟成長期的開幕宣言。

從往返伊良湖與鳥羽的伊勢灣渡輪上，可眺望神島。吉永小百合&濱田光夫主演（一九六四年）、山口百惠&三浦友和主演（一九七五年）的電影版也都在該地取景拍攝。

8. *Daphnis and Chloe*，改編自作家朗格斯（Longus）有名的希臘傳說，主要敘述牧羊人達夫尼和美女克羅伊的愛情故事。
9. 《太陽の季節》，石原慎太郎於一橋大學就學期間創作的短篇小說，描寫一群少年成為大人的青春愛情物語，並於同年獲得文學界新人獎，隔年獲頒芥川獎。石原和三島也頗有私交。

• 三島由紀夫（Mishima Yukio，一九二五～一九七〇）主要作品有《假面的告白》、《金閣寺》、《豐饒之海》四部曲等。亦以劇作家著稱，留下《鹿鳴館》、《近代能樂集》等名作。一九六〇年的安保鬥爭後思想傾向右翼，成立民兵組織「楯之會」。一九七〇年於自衛隊市谷駐屯地切腹自殺。

即便幽明兩隔，我的心亦一日不曾離開過民子。

伊藤左千夫《野菊之墓》　野菊の墓，一九〇六年

已逝的純愛才是美好的

「阿民就像野菊花。」「政夫就像龍膽花。」

伊藤左千夫的《野菊之墓》便是以如此青澀的愛的告白場面聞名的純愛小說，但我第一次（認真）讀完，劇情卻教人錯愕：「咦？只有這樣？」

「我」政夫是小學剛畢業的十三歲男孩，表姊民子十五歲，兩人非常要好。但母親害怕兩人過度親密，便將政夫趕去讀中學，然後嫁掉民子，最終民子流產而死；而民子死前，懷中抱的是政夫的照片和來信……

這確實是一段悲戀。雖然是悲戀，但周圍的人拆散兩人的原因，只不過是因為民子比政夫年紀來得大而已，實在缺乏戲劇性要素。可這部作品依舊打動了讀者的心，應該是因為它以「我」的回想形式來書寫的緣故。

「每逢舊曆九月十三的滿月之日，我便不由自主回想起來。」

這是開頭。原文「後の月」指的是「十三夜」，也就是日本傳統賞月之日的舊曆九月十三日。這天政夫和民子聯袂在山中漫步，彼此告白「阿民就像野菊花」、「政夫就像龍膽花」。

「我」就是時隔十年之久以「悲喜摻半的狀態」回想起當年往事。

小說最後又回到現在，因此結尾也是「我」的感慨。

「即便幽明兩隔，我的心亦一日都不曾離開過民子。」

所謂「幽明兩隔」，意指「縱然死亡拆散了我倆」，然而主角看似誓言永恆的愛，卻也並未貫徹這份純愛，「我被迫結婚，苟活至今。」

老神在在的開頭，和誇大狎暱的末尾，說穿了也就是裱起青澀悲戀的「畫框」。正因是已逝歲月甜美的回憶，才有辦法化成一幅畫作，讓人盡情灑淚吧。

近年以相同手法獲得成功的就是片山恭一的《在世界的中心呼喊愛情》，描寫苟活的男子和已逝女子之戀。「我的心一天都不曾離開過民子」……少假囉！

小說舞臺在千葉縣松戶市。提到千葉縣當地文學的代表，應數《南總里見八犬傳》和《野菊之墓》這兩部作品。作品中提到的「矢切渡口」，現在仍有渡船航行。

● 伊藤左千夫（Itou Sachio，一八六四～一九一三）主要作品有《鄰家的媳婦》（隣の嫁）、《春潮》（春の潮）等。師事正岡子規，參與《萬葉集》研究。子規逝後，創刊雜誌《馬醉木》，活躍於作歌與《萬葉集》研究領域。《野菊之墓》是伊藤的第一部小說，發表於雜誌《杜鵑》（ホトトギス）。

上帝，救救我！

武者小路實篤《友情》　友情，一九二〇年

跟蹤狂男子的妄想與孤獨

武者小路實篤的《友情》，過去是和《少爺》、《伊豆的舞孃》齊名的青少年必讀書目之一。我也依稀記得，失戀的主角一把砸毀貝多芬塑像的結局。然而時隔十餘年重讀，我不禁大吃一驚：這居然是一部如此危險的小說？

「**野島初次遇見杉子，是在帝國劇院二樓的正面走廊上。**」

這是開頭。當時杉子十六歲，野島二十三歲。後來野島雖一直處在「杉子萌～☆」的狀態，卻只是一味找哥兒們大宮傾訴戀愛煩惱，和杉子連幾句話都說不上。不過，野島是那種一見女人就想到結婚的人，於是妄想無限膨脹，一發不可收拾。以現代的話來說，野島就是所謂跟蹤狂的體質。

小說為這樣的野島準備了殘忍的結局。

其實野島的好哥兒們大宮和杉子兩情相悅。得知兩人的關係後，野島將大宮從巴黎寄給他的貝多芬面具在庭院石頭上砸個粉碎，隨後寫信給大宮：「**兄弟，我們在事業上一決勝負吧！**」「**不必擔心我，即便受了傷，我依然是我。**」

若小說就此畫下句點，肯定帥呆了。但野島哭了。他邊哭邊寫下日記：

「我好不容易才扛起了寂寞，今後卻必須更進一步承受下去嗎？一個人孤伶伶地承受下去嗎？上帝，救救我！」

白樺派是學習院畢業生創立的文學界同好流派，武者小路實篤為其中心人物。縱然遭到心愛之人和摯友背叛，仍無怨無悔，而且向上帝求助，這樣的態度難不成可解讀為白樺派在理想主義上的反映？

必須注意的是，這部描寫三角戀情的作品標題是《友情》。主題完全是男人間的友情（的堅強與試煉），失戀並非最主要的關注重點。主角為了必須獨自承受寂寞而悲嘆，看起來也像是失戀之外，失去無話不談的好兄弟造成的傷痛更為沉重。寫給哥兒們虛張聲勢的信件，與日記中坦承的窩囊心情之間的落差，還有甚至求助上帝的痛苦。這真是一齣愛面子男孩的悲劇啊。

小說以野島的信件和日記作結。不過令人好奇的是，大宮收到這封信後會有什麼反應？是否會被野島的怨恨嚇得瑟瑟發抖，同時心想：「上帝，救救我」？友情真是太可怕了。

• 武者小路實篤（Musyanokouji Saneatsu，一八八五～一九七六）主要作品有《天真的人》（目出人）、《愛慾》等。與志賀直哉等人創辦雜誌《白樺》，為白樺派中心人物。埋首於建設「新村」，實現和平理想的共同生活。其後仍持續旺盛地創作。

文三終於如此立下決心，先回去二樓了。

二葉亭四迷《浮雲》　浮雲，一八九一年

慘遭裁員的失敗組男子在想什麼？

名作得實際讀了才知究竟。二葉亭四迷的《浮雲》是第一部以言文一致體（書面文和口語相同）寫成的小說，也是日本近代文學之祖。但誰又能想像得到，它竟是這樣一篇故事？

煞有介事的序文之後，小說從一群下班的官員走出公所的場面開始。

「狂暴的陰曆十月亦成了僅餘二日的餘波，二十八日午後三時許，從神田見附如螞蟻列隊、或四散蜘蛛般魚貫湧出的，全是介意起下巴鬍碴的男士們。」

時值晚秋。神田見附就是現今千代田大手町一帶。這群官吏集團裡，二十三歲的主角內海文三就在其中。這名青年是寄住叔父家中的基層官吏，但是這天，他被公所給開除了。

文三的苦惱由此展開。他的煩惱主要是為了女人。自從失業以後，原本預定要結婚的堂妹阿勢對他變得冷淡，不一會兒還和他的前同事本田親近起來，令文三極不是滋味。為此他咒罵阿勢水性楊花，鬧脾氣關在房間裡。《浮雲》是不吃香男人的繭居小說。

故事唐突地結束在文三決定再和阿勢談判，若不成就搬出叔父家的橋段。「再試一次運氣，倘若她肯聽從，就這麼辦，倘若不從，便斷然辭別叔父，搬離此處。文三終於如此立下決心，先回去二樓了。」

看這優柔寡斷的態度！什麼先回二樓，怎麼不立刻追上阿勢?!雖然忍不住這麼想，但這般優柔寡斷在表現史上可說是劃時代的描寫。始於書面文語體的小說，到了結局成為言文一致的口語體。在過去的文學中，刻畫苦惱的青年內在是絕對不可能的事，而要刻畫這樣的內在，言文一致體是不可或缺的工具。

從飛黃騰達的軌道脱落的「失敗組」文三，以及雖然庸俗卻屬「勝利組」的本田，加上將兩個男人放在天平上衡量的十八歲的阿勢；這般組合宛如現代的電視劇。由於這樣的現代性，文三回去二樓以後，近代文學誕生出許許多多的內海文三。

也有人説這部作品其實沒有完結。只不過宛如放棄收場、或交由讀者詮釋的唐突結尾（開放結局），也極具現代小説的味道。

- 二葉亭四迷（Hutabatei Shimei，一八六四～一九〇九）主要作品有《平凡》等，以及譯作〈幽會〉（あひゞき，俄國作家屠格涅夫《獵人筆記》中的一篇）等。深受俄國文學影響，與坪內逍遙私交甚篤。以言文一致體寫成的《浮雲》被譽為日本近代小說的先驅。亦以翻譯多部屠格涅夫作品聞名。

年輕人手按那道歷史之門，將它推向了未來。

司馬遼太郎《龍馬行》　竜馬行，一九六六年

本作品奠定了後世的龍馬像

自由奔放、豪放不羈、思想柔軟，而且富有女人緣，但小時候會尿床——建立起今日坂本龍馬這般的形象，本作品可謂厥功甚偉。司馬遼太郎的《龍馬行》是文庫本全八冊（單行本全五冊）的大作。

「『三小姐啊。』／這天一大清早，源老爹就跪在坂本家三小姐乙女的房門前，以裝模作樣的恭敬態度稟報著。」

這是開頭。龍馬十九歲，這天早上他將出發前往江戶修習劍術。也許是為了餞行，向來偏袒龍馬的老僕（源老爹）在庭院的櫻花樹別上了紙花，給了同樣偏愛龍馬的乙女一個驚喜。從如此平易近人的插曲展開故事，也可看出《龍馬行》的大眾小說風格。愛慕龍馬的「田鶴小姐」也是虛構人物。這部作品的起點是描寫非歷史人物「龍馬」的「竜馬[10]」傳記，是一部極富娛樂性的青春小說。

但隨著故事發展，史實上的敘述多了起來，龍馬和歷史的牽扯也逐漸加深。促成薩長同盟、策畫大政奉還，但龍馬本身比起政治，對貿易更感興趣……以〈近江路〉為標題的最後一

章，已完全呈現歷史感動鉅作的色彩。

提到龍馬在近江屋遭人暗殺後，敘述者百感交集地說道：「上天為了收拾這個國家的歷史亂局，讓這名年輕人降生此世；而當他完成使命以後，便毫不惋惜地將他召回了天上。」然後是畫下句點、使出渾身解數的一句：「而時代迴旋著。年輕人手按那道歷史之門，將它推向了未來。」

主角的死，並非人生的終點，而是歷史的起點。應該就是這一瞬間，「改變歷史的男人」竜馬（或是歷史上的龍馬）形象就此屹立不搖。

《龍馬行》的缺點其實是過於精采！這位並非歷史上龍馬的主角「竜馬」，之所以能夠引起讀者共鳴，正是因為其行為準則是現代人的典型。但這不是歷史人物的龍馬，而是司馬遼太郎史觀筆下的「竜馬」像。我不會說它是虛像，但大致上近似於開頭源老爹讓櫻花開花的「紙花」吧。

或許因為能刺激創業精神，《龍馬行》經常和《坂上之雲》（坂の上の雲）名列企業老闆的推薦書單，同時也是累計銷量超過兩千萬部的長銷作品。據說是司馬遼太郎作品中最受歡迎的一部。

• 司馬遼太郎（Shiba Ryoutarou，一九二三～一九九六）主要作品有《梟之城》、《燃燒吧！劍》、《坂上之雲》等。任職於產經新聞社時，以《梟之城》獲得直木獎，邁入作家生涯。以獨特的歷史觀為既有歷史小說領域注入新生命，量產出話題作品，亦有許多文化評論著作。

10. 司馬遼太郎《龍馬行》原文中主角的名字使用「竜馬」這個寫法。

說到我唯一的希望，就是我處刑那一天，有大批群眾前來觀刑，以憎恨的叫聲迎接我。

阿爾貝・卡繆《異鄉人》*L'Étranger*，一九四二年

「無動機殺人犯」心中的吶喊

「今天，媽媽走了。」

這是窪田啟作翻譯（一九五四年，新潮文庫）的知名開頭。卡繆《異鄉人》，不凡的日文書名[11]，加上瀟灑的開頭。或許讀者對它的印象是深奧難解的高尚文學作品，但這部小說正適合放在二十一世紀的現今來讀。

主角莫梭向職場請了假，參加在養老院過世的母親葬禮。隔天他去海邊戲水，和女孩一起看電影，哈哈大笑，當晚兩人上床。然而後來他被捲入鄰居的糾紛，意外槍殺了阿拉伯人。莫梭遭到逮捕，等待他的是種種不利的證詞：在母親的葬禮上沒有哭、抽菸、葬禮隔天就沉迷於可恥的行徑……陪審團對千夫所指的他，宣判死刑。

被問起殺人動機，莫梭回答「太陽害的」，但以現代人看來，這接近「無動機殺人」。莫梭的冷漠態度，簡直是現代年輕人的翻版；住在養老院的母親與兒子的關係，以及認定犯罪者即為

異常人格的社會氛圍，也一如現代社會。

書名「異鄉人」（L'Étranger）意指從共同體被排擠出去的人；英語是The Stranger。倘若開頭是「今仔日阮阿母過身了」，以「阮」當做第一人稱，予人的印象或許會大不相同。莫梭雖然較特立獨行，卻也不過是個不擅長表達自我的平凡年輕人罷了。

在獨居房裡自暴自棄的莫梭遭宣判死刑後，「第一次對世界溫柔的冷漠敞開了心房」。這也是他第一次找到了歸宿和希望。

「為了不讓自己感到那麼孤獨，說到我唯一的希望，就是我處刑那一天，有大批群眾前來觀刑，以憎恨的叫聲迎接我。」

成為惡人，獲得世人矚目，總比孤獨而逝來得好多了。最後一節，是不是讓人聯想到要求「我想被判死刑」的二十一世紀殺人犯？

卡繆在英譯版的序文中寫道：「在這個社會，每一個沒有在母親葬禮上流淚的人，都可能被判死刑。」這也可以解讀為對司法和新聞媒體的警語。

11. 日文譯名為「異邦人」。

- 阿貝爾・卡繆（Albert Camus，一九一三～一九六〇）主要作品有《薛西弗斯的神話》、《瘟疫》、《墜落》（*La Chute*）等。生於阿爾及利亞，擔任新聞記者之餘從事寫作，以《異鄉人》博得世界名聲，一九五七年獲頒諾貝爾文學獎，卻於六〇年因車禍驟逝。

勇者臉都紅了。

太宰治〈跑吧！美樂斯〉　走れメロス，一九四〇年

「赤身裸體」的勇者得到「蔽體衣物」之路

美樂斯因為意圖殺害暴君，遭宣判釘死於十字架。但他為了參加妹妹的婚禮，讓摯友塞里努提斯以人質的身分留在宮裡後返鄉，一待婚禮結束，便為了拯救摯友，從荒山原野飛馳而過。太宰治的〈跑吧！美樂斯〉是日本中學二年級國語教科書的必讀基本教材。

如同開頭的「**美樂斯怒髮衝冠**」，小說的結尾也令人印象深刻。美樂斯為了摯友拚命奔跑，而塞里努提斯亦對好友深信不疑，國王被兩人的友情所感動，說：「讓我也和你們結為朋友吧！請答應我的請求，讓我成為你們的朋友。」「萬歲！國王萬歲！」群眾歡呼，皆大歡喜。

但小說到此並未結束。「**一名少女向美樂斯獻上緋紅的披風，美樂斯不知所措。體貼的好友告訴他：美樂斯，你可是赤條條光溜溜啊，快點裹上那件披風吧！見你的裸體任由大夥看光，這位可愛的姑娘不甘心極了呀！**」最後一句則是：「**勇者臉都紅了。**」

以前的教科書上（基於兒童教育不宜出現裸體的理由？）似乎也有這段被刪除的版本。如果結束在「萬歲！國王萬歲！」，〈跑吧！美樂斯〉就是歌頌友情的故事，美樂斯是讓國王改邪歸正的英雄。

但結尾只是單純的笑點嗎？指出「你赤條條光溜溜」的這位「好友」，應該不是塞里努提斯，而是國王。這不是沒穿衣服的國王，而是「沒穿衣服的勇者」的故事。

值得注意的是，小說從「**怒髮衝冠**」開始，以「**臉都紅了**」結束。氣得面紅耳赤、如嬰兒般的美樂斯，最後羞紅了臉。換言之，原本單純的年輕人意識到「曝露在他人眼中的自己」。這是原本任憑感情驅使，橫衝直撞，身心皆「赤裸裸」的年輕人，最後得到了「蔽體衣物」的故事。在這瞬間，美樂斯從孩童蛻變成大人。這一點要詮釋為成長或是俗化，頗為微妙。一怒之下直闖城堡的美樂斯，本來是個宛如「暴走中學生」的傢伙。中學生此刻省悟到這種行為多丟臉了嗎？

這個結局還有另一個值得省思之處，那就是國王真的改邪歸正了嗎？對掌權者來說，利用兩名年輕人做為宣傳手段，完全是小菜一碟。事實上，故事完全沒有提到國王的暴政就結束了。

● 太宰治（Dazai Osamu，一九〇九～一九四八）主要作品有《斜陽》、《人間失格》等。生於青森的大地主之家，因生母體弱多病，由奶媽帶大。多次自殺未遂，並和女人殉情未遂。為當代活躍的大眾作家，一九四八年偕山崎富榮跳玉川上水自殺。

腦袋彷彿化成了一汪清水，盈盈而落，那是種一乾二淨的甜美暢快。

川端康成《伊豆的舞孃》　伊豆の踊子，一九二六年

結尾居然變成BL小說?!

只要一讀《伊豆的舞孃》，川端康成何以被稱為「新感覺派」，理由便一清二楚。

「道路變得曲折起來，即將靠近天城垰時，一陣驟雨將密集的杉林染成一片白茫，以驚人的速度從山腳朝我追來。」

這段開頭予人從空中以衛星圖俯看山巔的錯覺。將陣雨擬人化，這是過去日語中絕對不可能看到的表現手法。

二十歲的舊制高中生在旅途的伊豆遇到一團巡迴藝人，對其中的小舞孃產生了淡淡的情愫。這是《伊豆的舞孃》的宣傳詞。但「我」對舞孃的感情是否為情愛，頗值得商榷。倒不如說，在溫泉的脱衣處看到赤裸舞孃揮手的身影，發現她年幼到無法成為戀愛對象，「我」心中的煩憂也隨之雲消霧散。時間是早晨。一行人翻越天城垰，接下來是通往海邊的路。伊豆半島的地形和天氣也和主角的心境完全重疊在一起。

最後場面一轉，來到陰暗的船艙場景。「我」和一行人道別後，從下田乘上前往東京的船，淚流不止。旁邊躺著正要去東京就學的少年。

「你遇到變故了嗎？」「沒有，我剛與人道別。」

然後「我」吃了少年給他的海苔卷，就此「鑽進少年的學生斗篷裡」。這種行為有點危險，但主角漫不在乎。「我在一片漆黑中，讓少年的體溫溫暖著我，任由淚水溢流。腦袋彷彿化成了一汪清水，盈盈而落，那是種一乾二淨的甜美暢快。」

這樣的寫法也非常「新感覺派」。腦袋化成水流出來呢！這淚水就猶如春天融化的雪水。並非在碼頭的道別打住，而是結束在船艙的場面，是因為必須讓「我」從異境回歸日常吧。在伊豆那段日子只是黃粱一夢，這艘船的功能就如同《雪國》的隧道。不過直到中間都還是蘿莉控小說，怎麼在最後變成了BL小說?!這個一高[12]生沒問題吧？

田中絹代、美空雲雀、鰐淵晴子、吉永小百合、內藤洋子、山口百惠，這部青春小說的電影版曾由各年代的人氣偶像擔綱女主角。天城隧道現今仍然可以徒步經過。

12. 一高是「第一高等學校」的簡稱，為舊制高中。

● 川端康成（Kawabata Yasunari，一八九九～一九七二）主要作品有《雪國》、《山之音》、《睡美人》等。幼時父母雙亡，十多歲便發揮早熟的文才。一九六八年成為日本第一位諾貝爾文學獎得主，贏得世界性聲譽。一九七二年以煤氣自殺。

吉本拉特（略）只是恍恍惚惚拖著沉重的步伐，走下他生活的熟悉小鎮。

赫曼．赫塞《車輪下》 *Unterm Rad*，一九〇六年

被學歷和大人的虛榮心壓垮

赫曼．赫塞的《車輪下》過去是廣受日本國高中生閱讀的德國文學名著。漢斯．吉本拉特拚命用功，終於考上門檻極高的神學校，然而隨後身心俱病，被逐出校園，最後迎向了悲劇的結局。

這部小說在日本受歡迎的程度更勝於本國德國，這恐怕是因為對於在學歷社會中倍感壓抑的菁英考生們來說，漢斯就像他們的代言人。

但重新再讀，我發現寄宿學校的情節只有中段的第三章和第四章。小說始於大力強調漢斯的父親吉本拉特多麼的平凡庸俗，第一章和第二章則描述漢斯在故鄉度過的最後一個夏季。漢斯為入學做準備，接受鎮上牧師和校長指導，埋首讀書。鞋店叔叔法蘭克不由得擔心起來，聲稱比起讀書，孩子在戶外的新鮮空氣裡盡情玩耍更重要。

相對地，第五章到第七章是傷心的漢斯返回故鄉後的情節。漢斯打算當個機器工人，重新

展開人生，卻因酒醉溺死河裡。漢斯的父親吉本拉特悲嘆這不幸的結局。「就是那些人毀了漢斯。」鞋店老闆法蘭克批評來參加葬禮的鎮上牧師及校長後，對吉本拉特說：

「我們應該可以為那孩子做得更多。」

鞋匠抓住吉本拉特的手，但「**吉本拉特就像要逃離此刻的寂靜和異常痛苦的種種思緒，只是恍恍惚惚拖著沉重的步伐，走下他生活的熟悉小鎮。**」小說在此結束。

直到下層階級的鞋匠點出之前，父親全然沒有察覺自己的罪。若將聚光燈照在父親的身上，頓時覺得《車輪下》的主角並非漢斯，而是愚鈍傲慢的父親，以及鎮上的大人物們。為了自己的名聲，對孩子加諸過度期待的大人所犯下的罪；或是所謂歹竹出好筍的悲劇。這部小說比起國高中生，更是為人父母必讀的書籍。

赫塞一如他在《少年時代的回憶》（*Jugendgedenken*）一書中為人所知，相當愛好大自然。從漢斯與昆蟲魚兒嬉戲的夏日描寫亦可見一斑。室內派的考生們也是受這一點所吸引嗎？

● 赫曼・赫塞（Hermann Hesse，一八七七～一九六二）主要作品有《德米安：徬徨少年時》、《知識與愛情》、《玻璃珠遊戲》等。德國作家。進入神學校欲成為牧師，但未能實現。後於鎮工廠和書店工作，一邊自學，努力創作，以《鄉愁》（*Peter Camenzind*）打開知名度。一九四六年榮獲歌德獎、諾貝爾文學獎。

三四郎沒有答腔，只是口中反覆喃喃著：迷途羔羊、迷途羔羊。

夏目漱石《三四郎》 三四郎，一九〇九年

上京青年愛上都會女孩

小川三四郎從九州來到東京讀大學，是個宛如元祖草食男子的純情小生，而出現在他面前的里見美彌子，則是個時髦的都會小姐。

與在東京成長的青年遭「流放邊疆」的《少爺》相反，夏目漱石的《三四郎》是鄉下秀才前往東京，如劉佬佬逛大觀園般的「上京小說」。

三四郎第一次看到美彌子是在上京不久的某個夏日。大學校園池畔，一名年輕女子舉著團扇似乎在遮擋夕陽，三四郎後來才知道那就是美彌子，此後心心念念都是她。

和廣田老師、野野宮這些固定班底去參觀團子坂的菊花人偶那天，三四郎和美彌子溜出人潮，私下獨處。美彌子說：「你知道迷路孩子的英語怎麼說嗎？」「我來告訴你。」「Stray Sheep，迷途羔羊，懂嗎？」

後來美彌子寄了畫有兩隻羊的明信片給三四郎。真是討厭，吊什麼胃口嘛！然而正當三四郎誤會彌美子或許對他有好感時，美彌子竟唐突地嫁為人婦，徒留一幅以美彌子為模特兒的畫作。

最後一幕，是前往展覽會的三四郎和朋友與次郎站在那幅畫前交談的場面。「『這幅《森林的女人》如何？』／『《森林的女人》這標題不好。』／『那什麼標題才好？』／三四郎沒有答腔，只是口中反覆喃喃著：迷途羔羊、迷途羔羊。」

倘若從字面上來看，「迷途羔羊」是三四郎對於畫作標題的建議。但內情有點複雜。因為畫作上的主角正是夏季那天手持團扇的美彌子，據說這來自美彌子的要求。這表示，美彌子果然也屬意三四郎？

這裡各方的解釋分歧。所謂「迷途羔羊」，指的是為愛失途的美彌子，還是因故迷惘的三四郎？還有，美彌子究竟芳心何屬？不過無論美彌子喜歡的是誰，只要讀過作品應該都看得出來。依我之見，並不是三四郎。

「迷途羔羊」出自《聖經》，意思是即使拋下九十九隻羊，也要去追回那一隻迷路的羊。原意指「罪人」。但是在《三四郎》中，這個詞本身就像個謎團。

• 夏目漱石（Natsume Souseki，一八六七～一九一六）生平請參考十七頁。

然後我想要為季娜依達、為父親，同時也為我自己，由衷地祈禱。

屠格涅夫《初戀》 Первая любовь，一八六〇年

情敵竟是自己的父親

少年愛上年長女性的故事，不分東西方，向來是文學的基本題材之一。但說到屠格涅夫的《初戀》，狀況就有些複雜了。

「當年我十六歲。這事發生在一八三三年的夏天。」

弗拉基米爾．彼得羅維奇和父母來到莫斯科西南的卡盧加別墅小住，認識了鄰家的千金季娜依達，很快拜倒在她的石榴裙下。弗拉基米爾十六歲，季娜依達二十一歲。她讓愛慕她的男子圍繞身邊侍奉，如女王般君臨，是個心高氣傲的千金小姐。然而她真正喜歡的人是誰？弗拉基米爾懷著苦悶度日，終於得知了殘酷的事實：他的情敵居然是自己的父親！

雖然教人想說「這老不修搞什麼鬼」，但主角時年四十二歲的父親「仍十分年輕，是個極出色的英俊男子」，當初他會結婚，是為了妻子的財產。如同弗拉基米爾愛上年長的女性，季娜依達也愛上了年長的男性，十六歲的少年毫無勝算。

光是這樣就夠戲劇化了，可小說卻端出了更悲慘的結局。最後一章來到四年後，大學畢業

的弗拉基米爾得到嫁為人妻的季娜依達的消息。然而數週後前去拜訪，她竟已撒手人寰……結局和《野菊之墓》一樣。彷彿非要愛慕的對象死去，悲戀才能畫下句點。

然而，弗拉基米爾漸漸長大，偶然為貧窮老婦送終的經驗，讓他得知死亡是讓人脫離苦海的手段。父親的逝世、心儀女子的死亡，他不禁尋思：「原來如此，這就是解決之道！」只要悟出這一點，人生就簡單了。小說在非常模範生式的感慨中閉幕：「然後我想要為季娜依達、為父親，同時也為我自己，由衷地祈禱。」

要是每一個角色都還活著，想必會演變成相當慘烈的局面。屠格涅夫對日本文學帶來相當大的影響。只是，一想到因為這個人，害得明治、大正時期的戀愛小說變成那副模樣，就教人五味雜陳。

這部小說從幾名中年男人彼此道出各自初戀的場面展開。文本大部分來自弗拉基米爾的手記；從現在回顧過去的形式，也和《野菊之墓》一樣。

• 伊凡・謝吉耶維奇・屠格涅夫（Ивáн Сергéвич Тургéнев，一八一八～一八八三）主要作品有《獵人筆記》、《羅亭》、《父與子》等。俄國作家。以描寫農奴制度下俄國農民的《獵人筆記》一舉成名。將俄國文化及文學介紹到西歐，為西歐文壇留下了重大的影響。

幾名工人抬走棺木，沒有牧師隨行。

歌德《少年維特的煩惱》*Die Leiden des jungen Werthers*，一七七四年

失戀之後，他做出了什麼選擇？

書簡體小說是古老的形式。但閱讀歌德的《少年維特的煩惱》之後，我覺得在如今電子郵件和推特等社群媒體全盛的年代，書簡體或許意外與時代一拍即合。對朋友威廉訴說的語調，實在不像是寫於十八世紀的故事。

好了，年輕維特的煩惱其實很單純。就是戀愛。

維特為了處理親戚的遺產來到某個城鎮，立刻被一個名叫夏綠蒂（通稱綠蒂）的女人迷得神魂顛倒，但夏綠蒂已經有了未婚夫阿爾貝特。不同於夢想家維特，阿爾貝特是個理性、成熟的大人，無可挑剔。傷心的維特離開城鎮，進入使館工作，後因和上司對立等緣故離職。維特最後回到結婚的綠蒂與阿爾貝特居處附近，以手槍自戕。

這是一場純愛，也是一場悲劇。不過維特這名青年實在太煩人了，讓人忍不住覺得被這種人愛上的綠蒂也實在是無妄之災。「我下定決心了。綠蒂，我要去死。」他在給綠蒂的遺書中以此開頭等行徑，格外怵目驚心。「我們三個人當中，總有一個人非退讓不可。我要自告奮勇。」啊，看看這強加於人的英雄主義！

進入第二部，「編者」登場，述說維特最後的時光。最後是維特葬禮的場面。綠蒂悲痛欲絕，阿爾貝特也因為不能留下妻子一個人，缺席沒有參加葬禮。

「幾名工人抬走棺木，沒有牧師隨行。」

小說在這裡唐突地結束。沒有牧師隨行，是因為基督教不承認自殺。但這場寂寥的葬禮，正證明了熱戀青年的熱情與名譽。

點綴《少年維特的煩惱》尾聲的是奧西安[13]的詩。這是描述英雄、愛情與死亡的古老敘事詩。在死前的日子，讀著這首詩沉浸在激情中的維特與綠蒂，宛如在KTV唱得如痴如醉的現代年輕人與人妻。受詩歌感化而選擇死亡的青年，以及又受其感化不計其數的後世讀者。青春之書的感染力，著實驚人。

在悲劇專屬於戲劇的時代，這部作品證明了小說也能寫出悲劇。日文版高橋義孝的譯文（一九五一年）採用較隨性的口語調，也許是為了迎合戰後的讀者。

13. Ossian，古愛爾蘭吟遊詩人，十八世紀蘇格蘭詩人麥佛森聲稱「發現」了奧西安的詩，假託從三世紀的凱爾特語原文翻譯《芬戈爾》和《帖木拉》兩部史詩，並先後出版，於是這些所謂「奧西安」的詩篇便傳遍全歐洲，對早期浪漫主義運動產生重要影響。

● 約翰·沃夫岡·馮·歌德（Johann Wolfgang von Goethe，一七四九～一八三二）主要作品有《威廉·麥斯特的學徒歲月》（*Wilhelm Meisters Lehrjahre*）、《浮士德》等。德國大文豪，身為科學家亦有出色的研究成果。對後世藝術家和思想家帶來莫大的影響。

請原諒我。

福永武彥《草之花》　草の花，一九五四年

故友留下的筆記餘波盪漾

在過去（儘管現在仍有死忠粉絲），福永武彥是愛好文學的女學生狂熱崇拜的作家之一。《草之花》亦是其中特別知名的作品。

敘事者「我」在東京郊外的療養院認識了失去求生希望的汐見茂思（三十歲）。汐見在成功率不高的肺部手術過程中逝世，「我」的手邊留下了汐見交代「我若死了，這些就送給你」的兩本筆記。

這就是筆記的來歷。內容以「人皆有一死，我應該也來日無多」展開，第一本筆記敘述汐見十八歲就讀舊制高中時，對當時學弟藤木忍的熱烈愛慕；第二本筆記描述他二十四歲左右與藤木的妹妹千枝子之間的一段情。

「**藤木，我在心中呼喊著。藤木，你不肯愛我，你的妹妹也不肯愛我。我將會孤單地死去吧……！**」

好、好沉重，太沉重了。談論愛的概念、強迫推銷愛情、以死亡要脅。無法回應求愛的藤木會逃避說「請別打擾我」，千枝子會說「我們別再見面了」，和其他男人結婚，也是無可厚非之事。

但是，汐見為何如此執著於愛情？難道是因為戰爭曾近在咫尺？汐見多次提及對戰爭和死亡的恐懼，然而他留下的筆記裡，卻對從軍生涯隻字未提。儘管他和千枝子分手後隨即接到徵兵令的紅紙，在孤獨之中入伍。

「我」寫信給千枝子表示，倘若她想讀哥哥的筆記可以寄給她，然而回信十分冷漠。千枝子不想讀筆記。「因為即便我讀了那些內容，恐怕也只會感受到無可挽回的後悔。／請原諒我。」

這句「請原諒我」，確實就像得到平凡幸福的女人會寫下的字句。這篇故事就像是年紀輕輕卻死於戰爭、貧窮和疾病的人（藤木和汐見），對倖存下來人們（「我」和千枝子）的告發書。結語愈看愈像是「請原諒（倖存下來的）我」。

有人説汐見的死是「緩慢的自殺」，但真相究竟為何？這部描寫同性與異性之愛的作品，我覺得意外地也會受到現代年輕讀者的喜愛。

- 福永武彥（Fukunaga Takehiko，一九一八～一九七九）主要作品有《風土》（風土）、《忘卻之河》（忘却の河）、《死島》（死の島）等。東大法文系畢業後獲堀辰雄賞識，展開文學創作。在學習院大學教授法國文學，同時積極寫作，但體弱多病，多次療養後於在職中逝世。

來人啊，叫士兵放砲！

莎士比亞《哈姆雷特》*Hamlet*，一六〇一年？

最後留下的另一位王子

發誓向毒死父親、娶走母親並且篡奪王位的叔叔復仇的丹麥王子——哈姆雷特。莎士比亞流傳後世的諸多戲劇當中，《哈姆雷特》是格外受到歡迎、上演次數也相當多的一部作品。

說到《哈姆雷特》，就會想到這句臺詞：

To be, or not to be; that's the question.

至於這句話的翻譯，許多人應該會回答「生存，還是毀滅，這是個問題」。然而據《新譯哈姆雷特》（角川文庫，二〇〇三年）的譯者河合祥一郎指出，過去出版將近四十種版本的日文譯本當中，沒有任何一本譯為「生存，還是毀滅」。福田恆存的譯本（新潮文庫，一九六七年）譯為「**是生？是死？這是個疑問**」。小田島雄志的譯本（白水U BOOKS，一九八三年）則譯為「**這樣下去行嗎？還是不行？這是個問題**」。不同的譯法，詮釋不同，嚴重的程度也不同。

說到不同的詮釋，《哈姆雷特》的結局也意味深遠。母親死了，陰謀的始作俑者叔叔死了，與哈姆雷特決鬥的雷爾提死了，最後哈姆雷特自己也死了；這時登上舞臺的是挪威王子福丁布拉。

「以適合一名武人的禮儀向他致敬。因為倘若他登上王位，必定能成為舉世無雙的英主。」福丁布拉如此讚揚哈姆雷特後，要人收拾累累屍山。**「如此景象在戰場上不足為奇，在此地卻不堪入目。來人啊，叫士兵放炮！」**

福丁布拉是哈姆雷特死前指名擔任下一位丹麥國王的人。從這個意義來看，這似乎符合一個時代的終結，以及新時代開幕的大團圓結局。但福丁布拉的父王是被丹麥先王（哈姆雷特的父親）所殺害。也就是說，贏得最後勝利的是福丁布拉。這禮砲不是哀悼，根本是慶祝嘛！

劇中只登場兩次（而且看起來相當長袖善舞）的另一名王子。這名王子與死於非命的王子下場的懸殊差異，該如何解讀？這是個問題。

《哈姆雷特》這部作品感覺已被裡裡外外、通前徹後探討過了。也有描寫哈姆雷特死後的劇作《福丁布拉》[14]**上演。**

- 威廉・莎士比亞（William Shakespeare，一五六四～一六一六）主要作品有《奧賽羅》、《馬克白》、《李爾王》、《仲夏夜之夢》等。英國詩人及劇作家。二十多歲起便以劇作家兼演員身分活躍，留下為數龐大的傑作，卻於四十七歲退休，在故鄉度過餘生。

14. *Fortinbras*，美國劇作家李・布萊辛(Lee Blessing)的創作。

這其中有著憧憬、憂鬱的嫉妒，和幾許輕蔑，以及洋溢的貞潔淨福。

湯馬斯・曼《托尼奧・克律格》*Tonio Kröger*，一九〇三年

你是俗人？還是藝術家？

十四歲時，托尼奧喜歡上他的同學，美少年漢斯・漢森；但漢斯沉迷於騎馬，對托尼奧喜愛的文學半點興趣也沒有。十六歲時，托尼奧愛上了活潑的金髮少女英格堡・霍姆；但英格堡滿腦子只有舞蹈，一看托尼奧古怪的跳舞姿態就不住發笑。托馬斯・曼的《托尼奧・克律格》以現代人的眼光來說，就是個嚮往運動員的阿宅少年的故事。

托尼奧・克律格有著身為名譽領事、個性古板的北方人父親，以及深愛藝術、感性十足的南方人母親，他在「（父親那樣的）市民」與「（母親那樣的）藝術家」這兩種特質之間搖擺苦惱。簡單一句話，就是個百轉千迴心思太多的麻煩小子。

三十歲以後，托尼奧成為眾所周知的名詩人，對著女性朋友、同時也是畫家的麗莎維塔・伊凡諾芙娜落落長地訴說平日的苦惱。

然而麗莎維塔的感想竟是：「你說完了嗎？托尼奧・克律格先生？」接著一記迎頭痛擊：

「你是個誤入歧途的俗人。」

托尼奧在出生的故鄉被當成怪胎，然而看在藝術家的眼裡，卻是個俗人！

結尾也清楚反映出他想太多的一面。托尼奧旅行前往北歐，看到一對就像以前的漢斯與英格堡的情侶，於是寫信給麗莎維塔。「**我最深刻、最隱祕的愛，屬於那些金髮碧眼、開朗活潑、幸福親切的平凡人們。**」不要阻止我對他們的愛。「**這其中有著憧憬、憂鬱的嫉妒，和幾許輕蔑，以及洋溢的貞潔淨福。**」

明明是個詩人，卻熱愛賣弄道理？這番話看似做出「我要站在市民這邊」的決心，卻不過是散文式地重述著「凡人真好，可以過得那麼無憂無慮，太教人羨慕了」，對吧？無法澈底當個幸福的俗人，也無法成為冷酷藝術家的主角。至於讀者能否對這樣的結尾感到共鳴，也可以由此區分為兩類。能夠起共鳴的你，當然屬於藝術家類型嘍！

托尼奧雖然不受女人青睞，但作品中也有表示能夠理解他的少女登場，比如想讀一讀他詩作的瑪德蓮娜．菲爾梅連。但托尼奧只喜歡英格堡這種辣妹。和現代人如出一轍呢。

● 湯馬斯．曼（Paul Thomas Mann，一八七五～一九五五）主要作品有《魔山》、《約瑟夫和他的兄弟們》（*Joseph und seine Brüder Tetralogie*）等。德國作家，曾任保險公司職員，一年便辭職，成為大學旁聽生後著手創作，完成《魂斷威尼斯》等諸多名作，於一九二九年獲頒諾貝爾文學獎。

並非感慨萬千，但依然刻骨銘心。

小田實《什麼都去看》何でも見てやろう，一九六一年

近代的「第三代」所看到的世界

一九五八年，二十六歲的小田實以傅爾布萊特計畫[15]中留學生身分前往美國。他遠赴哈佛大學攻讀古希臘文學，卻將學業擺一邊，以「總有辦法」的精神走訪加拿大、墨西哥、歐洲各國、埃及、伊朗、印度共二十二國。《什麼都去看》就是描寫當時體驗的紀實文學。這本一天只花一美元的元祖貧窮世界旅行記，也因為那神氣活現的筆調，快速登上了暢銷榜。

「三年前的秋天，我心想：來去美國吧！理由非常簡單。因為我想看看美國是什麼模樣。」

開頭氣勢十足、鏗鏘有力。考慮到本書是在反美情緒蠢蠢欲動的六〇年安保鬥爭時期所寫，可以看出才二十多歲的作者氣燄之高張。他已經受夠了在國內拉拉雜雜議論不休的菁英分子們。

最後一章，他的留洋論大爆炸。他將自己這些五〇年代的日本留學生比喻為「暴發戶的第三代」。明治初期出國留學的第一代對於西方文明，只是天真無邪地感到驚奇並模仿；而拿這樣的老爸的錢留學的二代們，則為當中的內外矛盾所苦惱；不過來到第三代的我們，早已完全

被西方同化了。所以接下來應該要去亞洲或非洲看一看。

最後，回國的他躺在理髮店的椅子上思考：**「從開羅到東京的這段路途，我輕盈的腳步穿越的是多麼沉重的事物？」**

「並非感慨萬千，但依然刻骨銘心。」

至於是什麼讓他「刻骨銘心」，這一點應該表現在小田日後的行動上。回國後，他成為補習班講師，於六五年成立「為越南爭取和平！市民聯盟」。另一方面，後來的日本年輕人進入第四代，一九八六年出現了從亞洲展開遊歷的澤木耕太郎的《深夜特急》。

若依照小田的說法，來自各國留學生漸增的現代，儼然邁入第五代的時代。不過年輕人對海外的熱情似乎降溫了。這是因為日本已經不再是「暴發戶」的緣故嗎？第三代的衝勁，教人羨慕。

《深夜特急》也提到本書，但兩本書的性質差異頗大。若說小田是「探索世界黑暗面之旅」，那麼澤木就是「尋找自我之旅」。這是時代的差異，還是個性的差異呢？

---

15. Fulbright Program，由美國參議員傅爾布萊特於二戰後年提出的國際教育、文化交流及研究計畫。

- 小田實（Oda Makoto，一九三二～二〇〇七）主要作品有《美國》（アメリカ）、評論《「難死」的思想》（「難死」思想）等；世界遊記《什麼都去看》成為暢銷書，獲得世人肯定。成立「為越南爭取和平！市民聯盟」，為組織中心人物。

原諒我吧，是我啊，開門啊，是我，三郎啊！

山本周五郎《三郎》　三郎，一九六三年

摯友因不白之冤被送往苦力收容所

比喻自己為泥鰍的日本首相野田佳彥（二〇一一年當時），在著作《民主之敵》（民主の敵）裡，將山本周五郎的《三郎》和司馬遼太郎、藤澤周平之作並列為最喜愛的作品。如此看來，《三郎》也可說是「金魚和泥鰍」的故事。

舞臺是江戶末期，三郎和榮二同在裱褙店「芳古堂」當學徒，兩人同年，情同手足，卻處處互為對比。人們不管喚三郎做什麼，他都滿腹牢騷；可榮二一表人才，手藝出眾，前途人人看好。

故事從兩人十五歲的某個雨夜展開。「**細雨迷濛的傍晚，三郎哭著從西向東走上兩國橋。**」三郎挨了老闆娘的罵，從店裡跑了出來，榮二追上他。「你想想吧，就算回去了又能輕鬆到哪去？」

歲月流轉，兩人二十三歲，有了阿信、阿末等紅粉之交，過著平靜的日子。然而某一天，榮二遇上一場大劫。他蒙上偷竊客戶兑銀鋪昂貴的「金襴布」的嫌疑，被送往石川島的苦力收容所。榮二發誓絕對要報仇血恨，然而……所謂苦力收容所，是以更生和職業訓練為目的的自立援助機關。犯下輕罪的人和無宿者（從「宗門人別帳[16]」被除名的人）會被送來此處。《三郎》花了一半以上的篇幅，描寫榮二在苦力收容所的種種經歷。

接著進入尾聲。回到花花世界的榮二和阿末共組家庭，與三郎開起了裱褙店，卻等不到工作上門，日子清苦。好不容易千呼萬盼等到了工作，三郎卻說母親病危要回老家。

接下來最後將近十頁篇幅，令人跌破眼鏡的大逆轉等著讀者。偷走金襴布、讓榮二揹上黑鍋的真凶，居然是那個人！這時三郎突然回來了。「對不起啦，阿榮！原諒我吧，是我啊，開門啊，是我，三郎啊！」

暗地裡支持著金魚榮二的，其實是泥鰍三郎，原本是這樣的溫馨感人故事。不過，犯人的告白能否當真？難道不是為了維護男人間的友情，而將罪行往自身上攬嗎？接下來三郎還會說些什麼？但我無法拋棄「真犯人＝三郎」的可能性。

比起時代小說，這部作品更富青春小說的趣味。附帶一提，苦力收容所（人足寄場）為池波正太郎《鬼平犯科帳》主角原型人物長谷川平藏所實施的制度。光是苦力收容所的段落就值得一讀。

16. 江戶時代起由每一個村町製作，交給領主的類似戶籍簿的簿冊。

● 山本周五郎（Yamamoto Syuugorou，一九〇三～一九六七）主要作品有《日本婦道記》（日本婦道記）、《最後的樅樹》（樅木）、《青舟故事》（青物語）等。小學畢業後在東京的當鋪做學徒，同時著手創作，獲得直木獎等許多知名文學獎推薦，但全數婉拒。因對江戶時代庶民的生動描寫而擁有廣大讀者。

2

女孩的選擇

戀愛、婚姻、離別、獨立。
人生大事可不是裝飾。

”
晚上來吃美味的壽司吧！
——林芙美子《放浪記》

這天腹瀉終究沒有停歇，乘上火車後依然持續著。

谷崎潤一郎《細雪》　細雪，一九四八年

三十女子的結婚大作戰小說

大阪船場世家蒔岡家有四姊妹。長女鶴子招贅，繼承本家，次女幸子也招贅，分了家；剩下三女雪子和四女妙子。雪子儘管貌美如花，卻沉默寡言，早已錯過婚期，步入三十。二姊幸子夫妻都為她著急，相親卻遲遲不成功。谷崎潤一郎的《細雪》是文庫本超過九百頁的大作，故事以雪子的相親為主軸進行，以現代的話來說，是三十女子的結婚大作戰小說。

作品中大量描寫京都四季各有千秋的風物詩，比如賞花場景等等，極盡豪華絢爛。那是昭和十一至十六年。戰爭時期，這部作品以不合時局為由，遭到勒令停止連載，或許也是因為作品中描寫的關西大戶人家風雅豪奢的生活樣貌觸怒了當局。

不過《細雪》當中，最出人意表的當屬最後一句。

「這天腹瀉終究沒有停歇，乘上火車後依然持續著。」

腹腹腹腹腹瀉？一般會將妙齡美女當主角的故事以腹瀉來畫下句點嗎？

雪子三十五歲，總算談妥了與華族出身男方的婚事。最後一幕是雪子為了舉行婚禮，前往帝國飯店所在的東京。總算以平靜幸福的結局收尾，然而敘事者卻極盡挖苦地大潑冷水。

不光是結尾，《細雪》中各處都可見到針對姊妹們身體上缺陷的描寫。姊姊幸子有黃疸，雪子眼周冒出的黑斑讓家人擔心。「么妹兒，來幫幫我……」，幸子拜託么妹妙子幫忙穿和服的「上方[1]方言」開啟了第一章，接下來也是描述緩解腳氣症狀注射維生素 B 的橋段。

這部小說的另一名主角，是選擇了自由奔放生活方式的四女妙子。妙子的職業是製作人偶，搬離老家在外賃屋而居，甚至引發感情風波。相形之下，雪子實在是太被動、太古典了。雖然可以將幾天前就拉個不停的腹瀉解釋為雪子對婚禮無意識的抵抗，可是拉肚子畢竟是拉肚子。居然讓大腸來幫忙女性自我主張，谷崎潤一郎果然是個變態。

雪子於昭和十六年四月結婚，太平洋戰爭則在同年十二月爆發。《細雪》遭勒令停止連載的時間是昭和十八年。一般認為角色的原型人物是谷崎夫人松子的娘家：森田家四姊妹。

1. 上方即京都一帶。

● 谷崎潤一郎（Tanizaki Junichirou，一八八六～一九六五）主要作品有《刺青》、《痴人之愛》、《瘋癲老人日記》、隨筆《陰翳禮讚》等。以性、美、古典、純日本文化等各種主題寫作，風格變化萬千。亦留下將《源氏物語》翻譯成現代文的功績。

早苗突然趴到益野的背上，啜泣起來。

壺井榮《二十四隻瞳》　二十四の瞳，一九五二年

比起大石老師，七名女孩更讓人印象深刻

內容描寫前往海角分校任教的女老師與十二名學童。日本人幾乎都知道壺井榮的作品《二十四隻瞳》，但或許許多人忘了細節。

「若說十年為一個時代，那麼這篇故事的開頭，就是距今兩個半時代以前的事。」如此娓娓道來的小說，描寫昭和三年四月至昭和二十一年五月，中隔戰爭的十八年歲月。一襲洋裝、騎自行車颯爽現身的大石老師初次登臺亮相的場面很有名，但她在分校教導十二名一年級生的時間，其實只有短短幾個月。才剛進入第二學期不久，老師就因阿基里斯腱斷裂向校方請假，隨後調到本校。之後她因生產而離開教職。

最後一幕來到戰敗的隔年。大石老師在戰爭中失去了丈夫和么女，相隔十餘年重返杏壇。大石那一班的同學在歡迎會上齊聚一堂，但五個男學生中有三人戰死，七個女學生裡一個病死、一個下落不明，總共只剩下七個人。歡迎會上，學生益野突然唱起了〈荒城之月〉。

「那是她在六年級的發表會上，擔任壓軸登臺獨唱、大出鋒頭的一首歌。早苗突然趴到益野的背上，啜泣起來。」

最後一幕託付給這兩名女學生，似乎賦予其特別的涵義。早苗實現兒時的願望成為小學老師；益野則拋棄了就讀音樂學校的夢想，繼承家裡的餐館。兩人各自承襲著老師的教育與歌唱這兩項理念。

我們可以從許多角度來解讀這部作品，比如描寫師生之愛的兒童文學、對戰爭提出異議的反戰文學、沾染左翼思想的無產階級文學。不過長大成人後再讀，比起受不了軍國主義教育而中輟教職的大石老師，其中的七名女孩反倒更讓人印象深刻。作者真正想描寫的是否正是她們？因為貧窮被送去幫傭的女孩、為了減少家中吃飯人口慘遭賣身的女孩……七個女孩都無比堅強。早苗的眼淚，也像是對女人受壓抑年代的憤怒。相形之下，大石老師只是個軟弱的模範生。

這部小說之所以變得有名，電影功不可沒。大石老師在一九五四年版（木下惠介導演）和八七年版（朝間義隆導演）中，分別由高崎秀子和田中裕子飾演。

- 壺井榮（Tsuboi Sakae，一九〇〇～一九六七）主要作品有《暦》、《無母之子與無子之母》（母のない子と子のない母）等。以鄉土小豆島為舞臺，滿懷愛情地刻畫庶民生活。《二十四隻瞳》翻拍電影後大為賣座，原作也名列長銷作品。丈夫為詩人壺井繁治。

強風撲打在禎子的眼睛上。

松本清張《零的焦點》　ゼロの焦点，一九五九年

兩小時電視劇「懸崖場面」的原點？

人不可貌相（？），松本清張這名作家似乎具備女性主義思想。如同改編電視劇的《黑革記事本》，他許多作品都描寫懷抱著堅定意志、活躍於檯面上或檯面下的女子。《零的焦點》也是這樣的作品。不過，若想在清張的文字裡尋找性感魅力的確是白搭。「**秋天時，經人做媒，板根禎子和鵜原憲一結婚了。**」

讀者光看這開頭，想必會覺得宛如報紙上的文字十分平淡。

總之，禎子（二十六歲）和鵜原憲一（三十六歲）結婚，然而新婚旅行回來十天後，憲一前往上一個職場所在的金澤，就此下落不明。丈夫憲一應該是個與風流豔聞沾不上邊的廣告人，但沒想到他在金澤擁有截然不同的生活，還有另一個名字。

這樣的懸疑情節，只有在男女對彼此認識不深卻結為夫妻的時代才可能成立。禎子為了尋找丈夫前往金澤，一步步揭發丈夫的過去。禎子不依靠警察，也不感情用事，孤軍奮戰追查謎團。隨著金澤名士之妻室田佐知子、職員田沼久子這兩名女性登場，故事逐步推向高潮；但令人印象深刻的是最後一幕。

得知真相的禎子站在面對能登半島驚濤駭浪的斷崖上，然後……

「曾幾何時，禎子站在距離現在的地點不到百尺的岩角，內心想起一段詩，這詩不期然地再次湧現心胸。／In her tomb by the sounding sea!／在狂濤巨浪的海邊的妻子墳墓！／強風撲打在禎子的眼睛上。」

冷靜的禎子並未嗚咽哭倒在地。她在風中強忍淚水，眼前所見唯坦承一切的犯人所划動的一葉小舟。

這裡所引用的是愛倫．坡哀悼亡妻的詩作一節[2]。不過重點是，那裡是懸崖上。在書中，禎子已是第三次佇立在懸崖上（還引用同一首詩作），彷彿凝聚了作者看待懸崖的特殊情感。整體來說《零的焦點》顯得相當淡漠，唯有這部分意外地文學味十足。難道這正是兩小時電視劇中，懸崖場面令人如此印象深刻的原點?!

與故事背景密切相關的是日本戰後出現的「潘潘」（パンパン）這種職業（專做美軍生意的性工作者）。在作品中，真正具有存在感的是佐知子和久子，禎子反而更像是推動故事進行的關鍵配角。

2. 指十九世紀美國作家愛倫・坡（Edgar Allan Poe）逝世那年寫給亡妻維吉尼亞的名詩作〈安娜貝爾・李〉。

- 松本清張（Matsumoto Seichou，一九〇九～一九九二）主要作品有《點與線》、《眼之壁》等。前述兩部作品大為暢銷，掀起松本清張旋風。接下來清張繼續推出《D之複合》（Dの複合）、《日本的黑霧》等名作，拓展了當時仍是小眾的推理小說門戶。

晚上來吃美味的壽司吧！

林芙美子《放浪記》

放浪記，一九三〇年

當成二十歲女孩 FUMIKO 的部落格來讀

森光子逝世後，舞臺上的女主角由仲間由紀惠繼承了衣缽。那麼來回顧一下原作吧！拿起林芙美子的《放浪記》一讀，想必你會大為錯愕。第一頁中「我命中注定是個放浪者」雖然十分有名，但那其實是題為〈放浪記以前〉的序文內容。到了正文，故事情節卻跳來跳去，完全看不出脈絡。到底在寫什麼啊！

這也難怪。雖然打著自傳的名號，但《放浪記》是從芙美子年輕時的雜記中節錄出來的內容，並非架構完整的小說。而且現今廣受閱讀的新潮文庫版《放浪記》，是繼改造社版大為暢銷的《放浪記》之後，蒐集同一份雜記的未收錄部分，集結為後續的〈第二部〉與〈第三部〉。

要享受這部結構複雜的作品，需要一點訣竅。

先別管第二部和第三部；跳過序文，也忘掉林芙美子的名字和長相吧！就當它是個二十歲左右普通女孩的部落格內容。然後……

部落客 FUMIKO 的工作好像是包住的兼職女傭，薪水只有微薄的兩圓。有天她好像突然被開除了。這樣下去可能會流落街頭，於是她去了就業服務站，但好像沒遇上合適的打工機會。……就這樣，劇情愈來愈明朗。只要當成是沒有意識到讀者而寫、日記般的部落格內容，即使所描述的事實十分模糊，只有「好像」的程度，或是突兀地吟詩作對起來，也不會感到奇怪，反而更刺激讀者的想像力。

第一部的收尾尤其可愛。FUMIKO 好像一邊做女工和兼職女傭，一邊寫詩和童話，還收到了童話的稿費二十三圓。

「**暫時不會餓肚子了，真教人心花怒放。啊，太開心了！**」FUMIKO 寫道。「**我打開窗戶，聆聽上野的鐘聲。晚上來吃美味的壽司吧！**」

年輕貧窮的女子終於取得的小小成功。「壽司」一詞透露出它的真實感。附帶一提，戲劇中有名的前翻滾（森光子）和側翻滾（仲間由紀惠）場面，原作中並不存在。原作的 FUMIKO 是個更為陰沉的女性。

改造社版（初版）的《放浪記》現收錄於春樹文庫版，但這一版的結尾是「晚上來吃個壽司吧」。林芙美子畢生都在不停地修改自己的作品。

● 林芙美子（Hayashi Fumiko，一九〇三～一九五一）主要作品有《晚菊》、《浮雲》等。出身貧窮家庭，上東京後換過許多工作，同時著手創作，自傳小說《放浪記》大為暢銷，成為人氣作家活躍於文壇，後因心臟麻痺驟逝。

也就是來到這裡的時候，東家嫌梨花這名字難叫，改叫她阿春這件事。

幸田文《流》 流れる，一九五六年

貫徹觀察者身分的女傭翻轉劇

「就是這戶人家，卻沒看見廚房後門，不知該從哪兒進去才好。」

一名在玄關不知所措的中年女子。幸田文《流》一開頭就宛如市原悅子主演的人氣電視劇《家政婦的見證！》（家政婦は見た！）的序幕。

《流》實際上就是一部《家政婦的見證！》這樣的故事。主角梨花受雇於一家日落西山的「藝者置屋」（派遣藝伎的店家）。這名闖入「特種行業」的「素人」，述說著日常的所見所聞。可以說這就是故事的全部。

不過，這部小說最大的謎團正是關鍵人物梨花。這名主角有著喪夫和喪子的過去，做過公司舍監和清潔婦，任何家事都難不倒她，而且寫得一手好字，甚至懂得清元[3]。這位感覺家世良好、富有教養的女性到底是什麼來頭？

這個謎團懸而未決，故事在最後幾頁出現重大轉折。置屋的東家賣掉房子，搬到居住水準相形低落的對岸。可梨花留了下來，幸運地獲得新東家雇用，並拔擢為工作上的主管。

最後一幕是在幫忙搬家後的回程上，梨花冷不防吐露感慨。

「接著梨花毫無脈絡地想起了別的事。也就是來到這裡的時候，東家嫌梨花這名字難叫，改叫她阿春這件事。」

沒錯，來到置屋那天，女東家對她說了類似這樣的話：「喂，梨花這名字有點難叫，前一個女傭叫阿春，妳也叫阿春好了！」雖然看似不經意說著「毫無脈絡地想起」，但她始終沒有忘記名字遭到剝奪的那一天。如今女東家被趕走，而自己即將掌管這個家。倘若只是漫不經心地讀過去，可能就此錯過了這段文字。而這不叫優越感，什麼叫優越感。

自謙「我是女傭」，貫徹觀察者身分的女主角翻轉劇。不是「家政婦的見證！」而是「家政婦的成功！」。這樣的結尾似乎還隱隱看見了小小的勝利手勢，有點可怕。

幸田文在父親露伴逝後著手創作，據說她真的住進了柳橋的置屋。也就是現代所說的臥底採訪。這件事本身的確就是「家政婦的見證！」。

3. 由三味線伴奏的一種傳統音樂。

● 幸田文（Kouda Aya，一九〇四～一九九〇）主要作品有《終焉》（終焉）、《黑色衣襬》（黒い裾）、《和服》（きもの）等。小說家幸田露伴之女，於露伴死後踏上作家之路。以融合都會感性和濃厚教養的文章，為戰後的文學界開創新局。

妻子的話帶來的強大震撼，讓他傲岸的自我出現了龜裂。

圓地文子《女坂》　女坂，一九五七年

「不要給我辦葬禮」是妻子的復仇

有渣男角色的小說古今中外不勝枚舉，圓地文子的《女坂》亦不遑多讓。舞臺是明治時期。故事從白川行友平步青雲成為官吏，他的妻子阿倫出門替他物色小妾（！）的場面展開。獲得青睞的須賀年僅十五，她以為自己只是要去做「老爺身邊的打雜丫頭」，沒想到她被交付的工作內容，簡言之就是「陪睡」。

行友的專橫不只這一樁。他還玷汙了另一個丫頭由美，甚至搞上兒媳婦美夜。尤有甚者，滿不在乎地帶著三個年輕女人出門遊樂。妻子阿倫則一直在一旁以冷酷的眼神觀察丈夫和女人們亂搞。毛骨悚然啊。

《女坂》看似描寫女人之間的明爭暗鬥，但今日讀來，卻更像一部告發男性社會這般舊社會遺毒的小說。比起阿倫對女人們尚稱同情的視線，別說丈夫行友了，就連對親兒子和孫子也幾乎感覺不到一絲母愛或親情。

來說說結局吧。年老垂死的阿倫託人捎了最後的訊息給丈夫：

「在我死後，也請絕對不要辦葬禮。將我的屍體搬到品川外海，丟進海裡就算了。」

忍氣吞聲達四十年之久的女人，居然只有這麼一丁點的復仇？雖然教人忿忿不平，但這段話可不能解釋為自虐。阿倫的意思是：「就算老娘死了，也絕對不進你們家的墓！」臨終之際的爆炸宣言，花心丈夫也不免大受衝擊。

「妻子這四十年來一再壓抑的真心吶喊，讓行友必須鼓起全身的力量去承受。妻子的話帶來的強大震撼，讓他傲岸的自我出現了龜裂。」

從來不知反省的丈夫首次面臨自我的危機。他真的依照妻子的遺言，沒有舉辦葬禮嗎？還是不顧遺言辦了葬禮，讓妻子葬在白川家的墓？身為丈夫，不管怎麼做都會六神不安吧。死後懲治了丈夫，這才是妻子終極的復仇。

《女坂》之所以是一部告發小說，是因為在男女平等思想普及的一九五〇年代所完成的作品。戰前這樣的渣男太多了，女人的怨恨無處發洩，也因而更顯深沉。

● 圓地文子（Enchi Fumiko，一九〇五～一九八六）主要作品有《貧窮的歲月》（ひもじい月日）、《遊魂》（遊魂）、《彩霧》（彩霧）等。語言學家上田萬年之女，具有深厚的古典文學造詣，大膽揭露女性的心理和生理，直到晚年仍活躍文壇。《源氏物語》的現代文翻譯亦備受讚譽。

我決定開始辦理退出帕泰的手續。

倉橋由美子《帕泰》パルタイ，一九六〇年

乍看之下似乎自滅感十足，其實意外地循規蹈矩？

《帕泰》是二〇〇五年逝世的倉橋由美子寫於二十四歲的出道作。

「某天你問我：決定了嗎？」小說如此開始。

「你」邀「我」加入帕泰，但又說想加入帕泰需要「履歷書」。「我」參加帕泰的活動，雖然不甚起勁，卻也還是寫了厚厚的一疊「履歷書」，最後還是厭倦了……所謂「帕泰」(Partei)在德語中是「政黨」之意，也就是英語的「Party」。不過在當時，日本人說到「黨」，暗示的就是日本共產黨，而「帕泰」即為它的蔑稱。

這是一部從女學生「我」的觀點，語帶諷刺地述說疑似男友的「你」以及「黨」的滑稽小說。箇中思想一言以蔽之，就是「你白痴啊？」（《新世紀福音戰士》角色惣流·明日香·蘭格雷的口頭禪）。任何時代都有陷入僵化的組織，故作清高以局外人自居的女學生也隨處可見。只要將「黨」代換成宗教團體、社團或公司，即便今日同樣能理解「這種感覺」吧！

但是這部小說缺乏爽快感，結局最為象徵性地反映了這一點。「我」被拘留在警局一晚，之後獲釋，返回住處時收到了一封信。

「信封裡除了同意我加入帕泰的通知書以外，還有一枚紅色的帕泰證。我看著這些東西，悉心思量之後丟掉了。」

要是結束在這句話，肯定大快人心。不料敘事者又補了一句：

「我決定開始辦理退出帕泰的手續。」

怎麼，原來還要乖乖辦手續啊？這麼守規矩。當然，這呼應了最初的「決定了嗎？」，若是如此，連小說結構上也十足循規蹈矩。

《帕泰》缺少了破壞力。這部短篇遍布著刻意凸顯的「學生」、「勞工」、「革命」等詞彙，年輕氣盛顯得格外醒目。儘管行動乍看之下極富破壞性，但最後一句話透露出敘事者其實是個有家教的好人家小姐。

談到諷刺「黨員」的小說，不能忘了田邊聖子的《感傷旅行》（一九六四年）。在當年日本共產黨勢力正盛的一九六〇年代，竟有女性作家寫出批判性作品，十分耐人尋味。

• 倉橋由美子（Kurahashi Yumiko，一九三五～二〇〇五）主要作品有《暗旅》（暗い旅）、《聖少女》、《大人的殘酷童話》（大人のための残酷童話）等。就讀明治大學時發表的《帕泰》入選芥川賞候補，此後邁入作家生涯。特色為挖掘人類的生理及殘忍性、感性銳利的表現手法。

可悲復可悲，亦不由自主眷戀起人世來了。

尾崎紅葉《金色夜叉》

金色夜叉，一九〇三年

在熱海的海邊被一腳踹開的阿宮後續

「妳給我聽著，阿宮，一月十七日，明年同月的同一日夜晚，我的淚水一定會遮蔽月亮！」這段臺詞，以及穿著制帽和學生斗篷的間貫一一腳踹開試圖挽留他的阿宮，儘管戲劇場面已令人印象深刻，想必許多人依然記得尾崎紅葉《金色夜叉》這知名的一幕。甚至連立在熱海海濱的貫一及阿宮像都成了觀光勝地。

情節要説單純也確實單純。主角間貫一是舊制一高學生，一直深信將來會和寄宿人家的女兒鴫澤宮結婚。沒想到阿宮和她父母選擇富裕的銀行家之子富山唯繼做女婿，無情地甩掉貫一。前述的熱海一幕，就是貫一得知未婚妻變心勃然大怒、宣告決裂的場面。此後，他為了向拋棄自己的女人和社會報仇，成為一名高利貸商人。

當時正值資本主義發展階段，讀者自然會想：「女人果然還是選擇了有錢男人嘛！」但小説中描寫的貫一與阿宮的形象相當不同。貫一是個異常容易發飆的傢伙；阿宮唯一的長處則是那張漂亮臉蛋，還是個毫無主見的女人。阿宮和富山結婚以後，依舊一往情深，心繫貫一。

如此這般，最後一幕是阿宮寫給貫一的信：

「縱然我一人獨逝，他人亦視同花草凋萎，全不介懷，思及此身竟如此虛渺，可悲復可悲，亦不由自主眷戀起人世來了。」

一想到就算自己一個人孤伶伶地死去，也沒有人放在心上，實在可悲又可嘆……阿宮似乎臥病在床。好了，貫一，你會怎麼做？然而遺憾的是，小說在這裡戛然結束。《金色夜叉》是因紅葉之死、就此中斷的未竟大作。

沒有人知道兩人的後續。但即使在前述不堪的熱海場面，阿宮仍再三申訴「我心裡有想法」、「我還有話沒說」。可貫一一腳踢開她，怒斥：「我不想聽！」起初源自不可理喻的男友，最後則因作者身故，阿宮終究沒能說出最重要的衷情，以致她蒙上「拋棄愛情選擇金錢的拜金女」汙名，還被雕成塑像立在海岸。而且這兩尊塑像的場面，活脫脫就是現代人口中的家暴。真正「可悲復可悲」啊。

如同《不如歸》讓伊香保一躍成名，《金色夜叉》也讓熱海成為觀光勝地。文言文摻雜口語會話的雅俗折衷體文章儘管閱讀門檻頗高，一旦熟悉之後，可會讓人上癮的。

- 尾崎紅葉（Ozaki Kouyou，一八六八～一九〇三）主要作品有《伽羅枕》（伽羅枕）、《三人妻》（三人妻）等。創立近代日本第一個文學結社「硯友社」，創辦文藝雜誌《我樂多文庫》，門生包括泉鏡花、德田秋聲等人。儘管奠定文豪地位，卻罹患胃癌，年僅三十五歲病逝。

大海的色彩瞬息萬變，而她無休無止地眺望著。

有吉佐和子《紀之川》　紀ノ川，一九五九年

與土地融為一體的母女三代物語

《複合汙染》（複合汚染）、《恍惚之人》（恍惚の人）等，感覺有吉佐和子的作品多聚焦社會議題，但那是晚年了，其實她是個貨真價實的近代文學作家。以和歌山縣的世家望族為主題，描寫明治、大正、昭和三代母女生命歷程的《紀之川》也是其作品之一。

小說從和歌山縣九度山的慈尊院寫起。位於高野山山麓、又名「女人高野」的這座寺院，於二〇〇四年列入聯合國教科文組織（UNESCO）的世界文化遺產，但作家和其筆下的角色當然不知道這件事。開頭的一節是：「**時年七十六的豐乃，牽著阿花的手，扎扎實實地踩著石階拾級而上。**」這天是阿花的大喜之日。

「看那紀之川的顏色！」「好美呀！」「真是美。」

明治三十二年，與祖母離情依依的阿花，從那裡乘船順著紀之川西下，嫁去和歌山市的真谷家。後來的發展完全就是日本近現代史。阿花協助丈夫，讓丈夫從縣議會議長爬到代議士之位；女兒文緒則是個厭惡古老傳統的時髦「大正女孩」，從東京的女子大學畢業後，便和銀行員結婚，搬去丈夫赴任的南方。

不久之後，中日戰爭爆發，文緒因生產暫時返回和歌山的娘家。這時紀之川再次登場。阿花帶著外孫女華子一起登上和歌山城的大天守閣。「妳看，小華，那就是紀之川。」「咦，河居然是那種顏色？好美呀！」

都說從紀之川上游到下游，人家門第逐漸低落，但愈形繁榮。十餘年後，二十七歲的華子在小說最後一幕眺望著同一條河的河口。

「（華子）遠眺著茫洋神祕的大海。也許是波浪戲弄著陽光，大海色彩瞬息萬變，她無休無止地眺望著。」

歲月流轉與家族歷史、大河的流動渾然一體，這結構真是教人嘆為觀止。華子站在以鋼筋水泥重建的和歌山城大天守閣。過去她和外祖母一同登上的大天守閣，已然在空襲中燒燬了。眼前是可投入十圓硬幣觀看的望遠鏡。從上游至出海的下游，一口氣串在了一起。

這是作家二十八歲時取材自外祖母家族的作品，據說華子的原型就是有吉佐和子自己。現在站在和歌山城的大天守閣，依然能將和歌山市內與紀之川河口盡收眼底。

● 有吉佐和子（Ariyoshi Sawako，一九三一～一九八四）主要作品有《恍惚之人》、《複合汙染》、《和宮大人備忘錄》（和宮樣御留）等。曾於夏威夷大學執教，遊歷世界各地之餘從事寫作。著有許多取材古典藝能、歷史，或以社會議題為題材的作品，享譽文壇。

阿島也這麼對順吉說，暗示她這陣子內心的盤算。

德田秋聲《狂暴》あらくれ，一九一五年

學不到教訓的女人的人生

德田秋聲以記錄自己與小三十歲的情婦山田順子關係的私小說《假面人物》（仮裝人物）聞名，是擅長生動描寫市井小民的作家。

刻畫一名女子不屈不撓的人生的《狂暴》，也是其中之一。

故事如此揭幕：「**當養父母暗示很快就要替她招贅時，阿島的腦中仍未湧出任何明確的想法。**」

女主角阿島當時十八歲。她七歲時，就從園藝農家被送到經營製紙業的人家當養女。但比起坐守香閨，她更喜歡在外頭賣力幹活；甚至挺身對抗男人們的性騷擾。當然，對於和養父姪子作太郎的婚事，她也堅決不從。「不要不要我不要，打死我都不要和阿作在一起！」大婚之夜，阿島逃家了。

阿島的人生就此展開。後來她做了罐頭廠老闆的後妻，卻因受不了浪蕩成性的丈夫再度逃家，前往驛站旅館或山區的溫泉旅館工作，又在種種原因下離開該處……

對阿島來說，她的悲劇應該來自書中疑似明治末期的時代背景，那時的條件尚不足以讓一名女性自力更生吧。因此就連阿島獨立心如此旺盛的女人，最終還是只能依靠男人，或動輒求助養家和娘家。

作品後半，阿島和一個叫小野田的男子結婚，開了間洋服店，但一如過往，沒有人生願景。阿島造訪一家並非過往曾任職的溫泉旅館，叫來店裡的年輕人說：「或許老闆娘會離開那家店，請他做裁縫，自己開店喔。」「**阿島也這麼對順吉說，暗示她這陣子內心的盤算。**」

順吉是夥計的名字，而阿島稱為「他」的年輕師傅，是她暗中心儀的對象。也就是說，阿島在施展美人計。不管是對男人、生意還是人生，阿島完全沒學到半點教訓。從「**未湧出任何明確的想法**」那時開始，似乎不見半點成長。但瞧她旺盛的生命力，結尾的「盤算」一詞，充滿了雄心壯志。

日本的「自然主義文學」後來逐漸萎縮成私小說，但原本自然主義指的正是這類型的小說。這部作品讓人聯想到埃米爾・左拉[4]**的《小酒館》（*L'Assommoir*）和《娜娜》（*Nana*）。**

● 德田秋聲（Tokuda Syusei，一八七一～一九四三）主要作品有《黴》（黴）、《假面人物》等。在泉鏡花的推薦下拜入尾崎紅葉門下，鑽研寫作。以自己的私生活為題材，寫出全然客觀描寫的作品。為自然主義文學大家，同時也形塑私小說的典型。

4. Émile Édouard Charles Antoine Zola，十九世紀法國自然主義文學家。

「上帝自在天國，世間一切安好。」安妮輕聲呢喃道。

蒙哥馬利《清秀佳人》*Anne of Green Gables*，一九〇八年

風靡全日本少女的野丫頭旋風

《小公主》（*A Little Princess*）、《小天使》（*Heidi*）、《長腿叔叔》（*Daddy-Long-Legs*）……古典的少女小說主角不知為何多半是孤兒。理由很單純，因為要讓女孩在古老的價值觀中大顯身手，父母的存在是個阻礙。

蒙哥馬利的《清秀佳人》亦是如此。十一歲的安妮在陰錯陽差下由馬修和瑪莉拉這對老兄妹收養，隨後將好友黛安娜、對手吉伯特，以及學校同學和當地大人們搞得雞飛狗跳，稱這部作品為「野丫頭旋風」可說恰如其分。

原書名「綠屋頂之家的安妮」來自安妮居住的綠色屋頂房子；日文版書名由村岡花子譯為《紅髮安妮》（赤毛のアン，一九五二年）。今天已經有松本侑子（集英社文庫）等諸多譯本，回頭看看村岡譯的安妮，會覺得安妮的口氣略顯老派。不過戰後的日本少女們，都是從村岡譯本的「紅髮安妮」身上得到了鼓勵和勇氣。

少女小說的結尾，大抵上都安於意料範疇內。故事尾聲，即將邁入二十歲、成長為一名淑女的安妮，突然搖身一變成了一個「令人讚賞的姑娘」。馬修已經離世，瑪莉拉決定賣掉綠屋頂之家，安妮放棄拿獎學金上大學的夢想，決心留在村裡，吉伯特則將當地學校教員的職缺讓給安妮。這讓人預感到與宿敵的和解，以及浪漫愛情的萌芽。故事以強而有力的肯定句寫下尾聲：

「雖然道路變得狹窄，但安妮知道那條路上，總是開滿了寧靜而幸福的花朵。」「路總是會遇上轉折的。」安妮這麼想。「『上帝自在天國，世間一切安好。』安妮輕聲呢喃道。」

《清秀佳人》一方面鼓勵女性自主，同時也教導我們不可以拋棄家人。這樣的結局灌輸了高度成長期陷入煩惱的女孩們「適可而止的幸福」這種價值觀。就類似：「人家想去念東京的大學，可是爸媽說念故鄉的短大就好了。」結尾引用白朗寧[5]的詩作一節，口中雖說著「世間一切安好」，但安妮真的這麼想嗎？總覺得有種輸不起的逞強味道呢。

這部作品由於以村岡花子為原型的ＮＨＫ晨間劇《花子與安妮》再度受到矚目。電視劇中的座右銘是「轉彎之後，不知道前方有什麼在等待」。

5. Robert Browning，英國詩人、劇作家，妻子伊莉莎白・巴雷特・白朗寧亦為維多利亞時代備受尊敬的詩人之一。

● 露西・莫德・蒙哥馬利（Lucy Maud Montgomery，一八七四～一九四二）主要作品有《清秀佳人》系列和《新月莊的愛蜜莉》（*Emily of New Moon*）等。加拿大作家。兒時喪母，由祖父母帶大。筆下以故鄉愛德華王子島為舞臺的《清秀佳人》為世界暢銷作品。

這是我生平第一次寫情書，卻知道該怎麼寫，真的很奇妙，對吧？

珍·韋伯斯特《長腿叔叔》*Daddy-Long-Legs*，一九一二年

慈善家史密斯先生的真實身分是……

一名陌生的富翁願意資助女主角上大學，但條件是必須每個月寫一封信給他。珍·伯斯特的《長腿叔叔》就像這樣，以寫給「約翰·史密斯先生」的信揭幕，是立志成為作家的少女筆下的書簡體小說。

作品問世後歷經一百年仍廣受全世界讀者喜愛。這是因為除了在孤兒院長大的敘事者茱蒂，也就是吉露莎·艾伯特那活潑的個性以外，還有「踏出獨立第一步的女孩」那戲劇性十足的璀璨細節吧。女子大學宿舍的生活、第一次閱讀的書、在農場度過的休假、購物清單等等。茱蒂唯一的不滿，是史密斯先生從來不回信，但她報告大學繽紛生活的筆觸，洋溢著接觸未知世界的驚奇與歡喜，令日本的少女們無限嚮往。

然而到了後半，茱蒂的信出現微妙的變化。「我從來沒有和男士交談過。」她的信裡愈來愈常提到同學的叔叔「傑維少爺」。大學畢業後，這位男士向她求婚，她卻對自己的身世感到

自卑，堅決不肯答應……

以抒發煩惱的信件為契機，茱蒂終於能夠和史密斯先生見面了。「妳沒發現我就是長腿叔叔嗎？」說這話的人究竟是誰……！茱蒂在最後一封信的附筆寫道：「**這是我生平第一次寫情書，卻知道該怎麼寫，真的很奇妙，對吧？**」

對於這樣的結尾，以前我讀完後嘖嘖不已。去你的「很奇妙，對吧？」，居然是這種結局！所以從小說來看，我更喜歡茱蒂好友莎莉挺身改革孤兒院的《親愛的敵人》（*Dear Enemy*）。不過，我認為這才是最適合灰姑娘的落幕。書名原文「Daddy-Long-Legs」是盲蛛[6]的別稱。雖說是每個女孩都渴望的結局，但搞不好這傢伙從一開始就居心不良。太可疑了！

東健而的第一部譯本（一九一九年）書名是「長腳蚊史密斯」（蚊とんぼスミス）。出版新譯本時（一九三三年），遠藤壽子將書名改為更接近直譯的「長腿叔叔」，可說是名譯。

6. 這類蜘蛛腿很長，俗稱「Daddy-Long-Legs」，被稱為自然界的長腿叔叔。雖然歸於盲蛛目（Opiliones），但其實牠們不會吐絲也沒有毒液，只是外型酷似同樣有長腿的幽靈蛛（科）。

- 珍・韋伯斯特（Jean Webster，一八七六～一九一六）主要作品有《親愛的敵人》、《帕蒂上大學》（*Just Patty*）。美國作家。母親為文學家馬克・吐溫（Mark Twain）的姪女。就讀大學時著手創作，以《長腿叔叔》一作聞名文壇。婚後不久早產生下女兒時過世。

船舶迄今仍往來不斷。往來不斷。

杉本鉞子《武士的女兒》

武士の娘，一九二五年

在海外大為暢銷的「和才洋魂」之作

杉本鉞子的自傳式作品《武士的女兒》，是一本有點特別的名著。

首先光看作者經歷就很有意思。鉞子出生於明治六年（一八七三年），父親是越後長岡藩的家老[7]稻垣平助。她從小被澈底教導四書，十三歲時與兄長友人，貿易商杉本松雄訂婚。進入東京的教會學校就讀後，二十多歲時前往美國。

這本書的身世也很有意思。鉞子在美國成了兩個女兒的母親，後來丈夫過世，她帶一雙年幼的女兒搬回東京。直到長女十五歲時，再次為了女兒的教育前往美國。這本書就和新渡戶稻造的《武士道》等作品一樣，是以英語寫成介紹日本文化的書籍，原書名為「*A daughter of the Samurai*」。此作在全美大為暢銷，被翻譯成各國語言，比起日本，在海外知名度更高。

雖然是自傳式散文，但就如同從嚴格的武士家庭（而且是在戊辰戰爭中被打得落花流水的藩武士家）前往自由國度的人士，她縝密地觀察美日這兩個極端的文化，並加以批評。最後一章〈黑船〉中，她說「**西洋與東洋，人情都是不變的**」，但現實中，不管是東洋人還是西洋人都難以理解這個事實。「小鉞呀，無論船舶往來再盛，異人[8]與神國日本的子民都不可能彼此親近。」祖母曾如此述說，而這本書的閉幕就像對祖母這番論調的反駁：「不管是紅臉的異人，還是神國日本的子民，如今仍不願去理解彼此的心，因此這個祕密依舊遭到隱蔽，但船舶迄今仍往來不斷。往來不斷。」

結語就像在說：「就算大家不理解，東西雙方還是會繼續交流下去。」重複兩次的「往來不斷」，是否正證明她內心的忿忿不平？信奉男尊女卑的日本文化，以及宣揚男女平權的西洋文化；母親和祖母是不折不扣的「武士的女兒」，而一雙女兒宛如「海歸子女」的先鋒。事實上鉞子儼然是兩種文化和世代之間的一塊夾心餅，並為此苦惱不已。不是「和魂洋才」，這是國際派明治女子散發自尊光芒的「和才洋魂」之書。

鉞子著手寫書，是為了在丈夫死後獨力扶養一雙女兒。她先是在美國投稿，終於抓住雜誌連載的機會，這本書就是如此誕生。大岩美代的日語譯本也十分優美。

● 杉本鉞子（Sugimoto Etsuko，一八七三～一九五〇）只有這一部作品。舊長岡藩家老稻垣平助之女。與貿易商杉本松雄結婚後前往美國。丈夫病逝後回到日本，隨後再次赴美，開啟寫作。在雜誌《亞細亞》連載《武士的女兒》大受歡迎，出版後被翻譯為七國語言。

7. 江戶時代協助藩主統理藩政的重臣。
8. 日本過去將外國人（尤其是西方人）稱呼為異人。

那麼／這本小書／也差不多／要說再見了。

茨木紀子《讀詩心》 詩のこころを読む，一九七九年

將賞詩方法和人生重疊在一起

茨木紀子是以〈在我最美的時候〉（わたしが一番きれいだったとき）、〈女孩進行曲〉（女の子のマーチ）聞名的詩人，或許也有人讀了她的晚年作〈不倚不靠〉（倚りかからず）而成為粉絲。

不過，她有一本鮮為人知的名著《讀詩心》。這本書一面解說如何欣賞一首詩，順便談論人生，簡直像特技表演。「一首好詩，具有讓人心獲得自由的力量。」如同她開頭這段話，這本書的架構就像一段人生經歷：誕生（〈出生〉）、戀愛（〈情詩〉）、苦惱（〈生命中的掙扎〉）、中高齡時期（〈山頂〉）。

「那個人說：可以給我那隻鴿子嗎？／我說：可以呀！／那個人抱住鴿子，說：噢！多麼可愛呀！／我補充說：牠會咕咕叫喔！」（高橋睦郎〈鴿子〉（鳩））。作者則如此評論這首詩：「現在讀來也一點都不覺得彆扭」。「會覺得彆扭、害臊，這樣的詩不是好詩，尤其情詩更為明顯。」「從爐上端下飯鍋／打顆蛋拌一拌／中間空檔啜一口威士忌／拿紙摺隻紅鶴」（黑田三郎〈傍晚的三十分鐘〉（夕方の三十分））。對這首詩則是一句評論：「任何人都有過這

樣「傍晚的三十分鐘」，對吧？」

最後一章〈離別〉的主題是死亡。結尾的詩則是岸田衿子的〈阿爾罕布拉宮的牆壁上〉（アランブラ宮の壁の）（收錄於詩集《明亮的日子的歌曲》（あかるい日の歌））。「就像阿爾罕布拉宮的牆壁上／繁複的藤蔓花紋／我喜歡迷失其中／也喜歡從出口尋找入口。」

全詩只有這四句，是很短的一首小詩。作者說「喜歡迷失」這一句「讓我很羨慕」。視死亡為入口而非出口，也非常棒。人生就算有件不明白的事也很美好。這麼說完後，她筆鋒一轉：

「那麼／這本小書／也差不多／要說再見了。」

「那麼差不多」，有種趿上拖鞋的輕鬆感。結尾就像寫給好友的信，或是在咖啡廳閒嗑牙之後的道別。就是這種感覺的一本書。

> 岸田衿子（一九二九～二〇一一）是女星岸田今日子的姊姊。要不是讀到這本書的解釋，我應該不會發現〈阿爾罕布拉宮的牆壁上〉是談論死亡的詩。

● 茨木紀子（Ibaragi Noriko，一九二六～二〇〇六）主要作品有詩集《對話》、《自己的感受性》（自分の感受性くらい）、《不倚不靠》等。投稿雜誌《詩學》的作品獲得肯定，以詩人身分活躍文壇，與川崎洋創刊同好雜誌《櫂》。《不倚不靠》創下詩集空前的銷量。

等同是他們兩位促成了這段姻緣，因此兩人一直感念在心。

珍・奥斯汀《傲慢與偏見》*Pride and Prejudice*，一八一三年

將整個家族拖下水的結婚大作戰

班奈特家有五個女兒。單身的資產家賓利先生搬到這座村莊，租下別墅。拚了命想嫁掉女兒們的班奈特夫人立刻安排餐會。長女珍如同母親的希望，和賓利先生發展成不錯的關係，但左盼右盼，就是盼不到賓利先生開口求婚。另一方面，賓利先生的好友達西先生被二女兒伊莉莎白所吸引，但伊莉莎白認為達西自恃家世、財產和英俊，其傲慢令人難忍。奥斯汀的《傲慢與偏見》正是一齣以英國鄉紳階級為舞臺的結婚劇。

「一個單身漢只要有錢，接著就一定會想討個太太，這可說是舉世公認的金科玉律。」

這段傑出的開篇極為知名。以內容來說，就像是兩百年前的青春偶像戀愛劇，然而令人驚嘆的寫實主義教人咋舌。尤其是對看人眼光自信十足、且才情洋溢的伊莉莎白發現自己誤會達西的過程，完全是戀愛喜劇的經典範本。

吊足讀者的胃口後，結局不出所料，女兒們都結了婚。對班奈特夫人來說是皆大歡喜的萬

萬歲結局。不過，這場結婚風波也捲入了一大家族親朋好友，得交代一下相關人士的反應及後續，小說才能收尾。於是最後，「達西和伊莉莎白與嘉丁納夫妻始終維持著深厚的情誼」。「等同是他們兩位促成了這段姻緣，因此兩人一直感念在心。」

伊莉莎白曾經與這對階級較低的叔嬸一起拜訪達西家，因此在結尾表達對這件事的恩義，整件事才能算告一段落。

階級、家世和財產總是讓愛情蒙上陰影。沒人拜託，家族親戚卻個個要插手干預，名流的世界真是麻煩透頂。在被稱為鄉紳的下級地主階級中，女人除了找個乘龍快婿之外，沒有其他活路。富有、英俊、人品高尚（而且看上去還有點壞）的達西，簡直是理想中的王子，但這部分不妨就當成少女漫畫的調調，別太計較了。

毛姆將此書列為「世界十大小說」之一，夏目漱石在《文學論》裡對開頭斑奈特夫妻的對話讚不絕口。可以說是英國版的《細雪》。

● 珍・奧斯汀（Jane Austen，一七七五～一八一七）主要作品有《理性與感性》、《愛瑪》、《勸導》等。英國作家。出身牧師家庭，十幾歲著手創作，以鄉間中產階級社會的女子生活為題材，被評為心理寫實主義先驅。

畢竟，明天又是新的一天。

瑪格麗特・米契爾《飄》 *Gone with the Wind*，一九三六年

郝思嘉不適合反躬自省

瑪格麗特・米契爾的《飄》最有名的當屬最後一幕。南北戰爭後，女主角郝思嘉失去一切，於是下定決心：「明天，我要回去塔拉。」絕不服輸的她昂然抬頭。

「明天回去塔拉再想吧！那樣一來，我應該就承受得住。明天來想辦法挽回瑞德吧！畢竟，明天又是新的一天。」

最後一句「tomorrow is another day」（明天又是新的一天），或是翻成「明天又是另外一天」，充滿了從絕望的深淵重新出發的堅強。本書在一九四九年時成為日本國內暢銷作，對於在戰敗後的焦土上努力復興的日本人來說，這句臺詞帶來了莫大的鼓勵。

電影中的這個場面，費雯・麗[9]背對夕陽，抓起荒蕪耕地紅土的身影讓人印象深刻。我雖然瞬間閃過這個念頭，隨即轉念不對，這是第一部的最後一幕。整部電影（小說）的最後場景是在室內，而且郝思嘉立下決心的不是重建鄉土，而是要挽回丈夫的心這種超個人的問題。

女兒邦妮意外死去，交誼匪淺的韓美蘭流產死亡，連丈夫白瑞德都受夠了她離去。失去一

切後，思嘉才發現自己對瑞德的愛。她毅然立下決心：「**只要我一旦決定，沒有哪個男人是我得不到的。**」接下來就是最後那一段。

不斷追求初戀情人衛希禮、活得恣意妄為的思嘉，反省自己過往的傲慢。這是《飄》的第五部後半，也就是到最後，思嘉即將變成一個「好人」。然而萬萬想不到又看到這段「我絕不放棄」的發誓，於是我們得知，說到底思嘉就是個「學不乖的女人」。學不乖的她，也讓人聯想到「學不乖的南方」。即使「明天又是新的一天」是為了奪回男人的決心，也別為此翻白眼。永遠的高傲女王，才不適合反躬自省。

繼現代看來已略顯老派的大久保譯本之後，二〇一五至一六年出現了鴻巢友季子譯本（新潮文庫．全五冊）、荒好美（荒このみ）譯本（岩波文庫．全六冊）。女主角的形象各有微妙的不同，很有意思。

● 瑪格麗特．米契爾（Margaret Munnerlyn Mitchell，一九〇〇～一九四九）只寫下《飄》這部作品。美國作家。因受傷無法出門而動筆寫作，耕耘近十年歲月完成，於全世界大為熱賣。後死於車禍。

9. Vivien Leigh，英國國寶級演員，以《飄》改編的電影《亂世佳人》一作成為第一位獲得奧斯卡最佳女主角獎的英國演員。片中和飾演白瑞德的克拉克．蓋博有著精采的對手戲。

「我有飯局，晚點再過去。哦，……」

莎岡《你喜歡布拉姆斯嗎？》*Aimez-vous Brahms?*，一九五九年

四十歲前後的女子邂逅美青年

不管在戲劇或現實社會中，年齡差情侶都大行其道。理由為何？若要在文學界裡尋找這領域的大家，還是非弗朗索瓦絲．莎岡莫屬吧。《你喜歡布拉姆斯嗎？》以一名苦惱於三角關係約莫四十歲的女子為主角，是一部氛圍慵懶的戀愛小說。

寶兒三十九歲，離過一次婚。她是一名獨立室內設計師，有一位交往多年的男友羅傑。然而這時殺出一位二十五歲的俊美青年西蒙。當時寶兒已經厭倦了成天追著年輕女孩跑的羅傑，想要回應西蒙熱烈的追求，但……

書名來自於西蒙邀寶兒約會的信件一節。

「『六點普萊耶爾音樂廳有一場很棒的音樂會。』西蒙寫道。『你喜歡布拉姆斯嗎？昨天多謝了。』寶兒微笑。她是在對第二行的『你喜歡布拉姆斯嗎？』微笑。這個問題就像她十七歲的時候，男孩們會問她的那種問題。』」

不分東方或西方，每個人想的都一樣。不過大人們還是懂得分寸。寶兒在惰性交往的中年男子和任性孩子般的美青年之間搖擺不定，最終還是選擇了羅傑。寶兒對著離去的西蒙大喊：

「我已經人老珠黃了！」

三十九歲叫人老珠黃，真沒禮貌，但開頭也確實刻印著她對年老色衰的恐懼：「寶兒注視著鏡中自己的臉。」

那麼，嫉妒小鮮肉、總算挽回女友的心的羅傑最後怎麼了？「八點，電話響了。拿起話筒之前，她就已經知道這通電話的內容了。『抱歉，』羅傑在電話彼端說：『我有飯局，晚點再過去。哦，……』」。

這就是結尾。「哦，……」後面就此無疾而終，證明了寶兒根本沒在聽羅傑說話。兩人的倦怠依然如故。即使如此，成熟女子還是選擇「保守的戀愛」。莎岡的作品經常被揶揄是高級少女漫畫，但結局意外地冷靜。應該更像是高級淑女漫畫吧。

與十八歲的出道作《日安憂鬱》不同類型的三角關係。早熟的莎岡寫下這部作品時居然只有二十四歲。

● 弗朗索瓦絲・莎岡（Françoise Sagan，一九三五～二〇〇四）主要作品有《微笑》、《心靈守護者》等。莎崗於就讀大學期間寫下《日安憂鬱》一書，躍為文壇明星。後來遭逢車禍重傷、經歷藥物成癮等等，度過波瀾起伏的一生。

3

男孩的生活方式

虛張聲勢、我行我素、自取滅亡。
男人的人生這回事啊……

”於是他們站了起來。——再一次站起來！

——小林多喜二《蟹工船》

室內昏暗，戶外狂風大作。

田山花袋《棉被》　蒲団，一九〇七年

無法越界的大叔的純情

田山花袋的《棉被》在文學史上是超級有名的作品。中年作家將臉埋進女弟子留下的棉被裡痛哭，光聽簡介，是一部讓人摸不著頭腦的小說。

「他正要走下從小石川的切支丹坡通往極樂水的緩坡，心裡想了。」接續如此客觀的情景描寫後，故事從容地展開。

主角是作家竹中時雄，三十六歲。事情的開端是一個名叫橫山芳子的女學生來到東京，要求拜他為師。時雄已有妻室，還有三個孩子，儘管時髦的芳子讓他心動不已，時雄卻無法擺脫芳子在東京的監護人這樣的角色。後來，芳子和一名姓田中的神學生交往。站在時雄的立場，也只能在一旁守護著兩人的戀情。然而狀況急轉直下。芳子和田中發生肉體關係一事曝了光，被迫回到岡山的父母身邊。

然後小說進入標題由來的最後場面：

「時雄拖出被子。女人令人懷念的油香及汗味，帶給時雄的心胸一股無以言喻的怦然心動。他將臉抵在被子滾天鵝絨的上緣、格外髒汙的一處，盡情地嗅聞女人那懷念的氣味。／性慾、悲哀與絕望驀地湧上時雄的心胸。時雄鋪開墊被，蓋上那條被子，臉捂進冰涼髒汙的天鵝絨滾邊哭了起來。」

假使結束在此處，從恪守分寸的作家大膽曝露醜態這一點來看，毋寧衝擊性十足。然而敘事者最後加了一句：

「室內昏暗，戶外狂風大作。」

和開頭一樣，以一副故作清高「這是客觀描寫」的手法結束。戶外的狂風，當然呼應著時雄內心的狂嵐。

在明治時代，三十六歲已然是十足的大叔了。儘管滿腦子淨是在身邊轉來轉去的年輕女子倩影，卻無法（不敢）越界的大叔的純情。即使旁人看來滑稽，最後一幕儼然就是和被子的床戲。要是不稍微假裝「客觀」，就太難看了。

這部作品開啟了赤裸告白作家自身內心的自然主義文學（私小說）端緒，留名文學史。和本書的諧謔作品，中島京子的《FUTON》一起讀也很有意思。

• 田山花袋（Tayama Katai，一八七一～一九三〇）主要作品有《鄉下教師》、《時光流逝》（時は過ぎ行）等。留下許多標榜自然主義、客觀描寫事實的小說。對明治末期至大正時期的日本文學界留下重大影響。

兩人就此忘懷一切，哽咽對泣，流下感動的淚水。

菊池寬《恩仇之外》　恩讐の彼方に，一九一九年

不共戴天之敵合力拿起槌子

以奇岩聞名的大分縣中津市名勝地區耶馬溪，有一處「青洞門」。江戶中期（一七三〇～六〇年代）在和尚禪海的號召下，耗費三十年光陰，開鑿出這條隧道。

這裡就是菊池寬《恩仇之外》的舞臺。也許覺得只是挖隧道太無聊，作家在其中又加入了「報仇」這種大眾喜愛的故事元素。

市九郎是江戶旗本[1]的家臣，卻膽大包天，與主公的愛妾私通，甚至殺害主公，帶著女人出奔江戶。然而後來出家，自稱了海，浪跡天涯，來到了豐前國（現在的大分縣），遇到只能抓著鐵鏈穿越的交通天險，而且不時有人在這處斷崖絕壁遇難喪命。一心想贖罪的了海，決心一個人開鑿岩壁。

如此看來，似乎是一樁美談，但作家的筆法更為寫實。「**市九郎未能接住主公砍來的一刀，儘管只是輕傷，但左臉頰到下巴被劈出了一道口子。**」小說劈頭就從武打場面開始，宛如剪下戲劇中的一幕。

閉幕也十分寫實。自江戶出發後第九年，旗本的兒子實之助總算找到了殺父仇人了海。但

他決定等到隧道鑿通之後再報仇，為了快點得償所願，自己也拿起了槌子。了海擊下第一槌之後二十一年，兩人相遇之後一年半，隧道終於開通了。實之助執起了海的手，接著是大眾戲劇十足的閉幕：

「兩人就此忘懷一切，哽咽對泣，流下感動的淚水。」

「恩仇之外」，也就是「超越愛恨」之意。這個結局帶出了「報仇沒有意義」的訊息。不過，市九郎（了海）這人所有的行動都是既衝動又不顧後果。腦袋宛如盛裝肌肉般的主角，配上以肉體為中心的描寫。

這部作品完成的大正時期，恰恰是大眾文學的勃興期。《大菩薩峠》、《半七捕物帳》、《鞍馬天狗》等作大受歡迎，在當時，時代小說就是大眾文學的代名詞。了海也是，比起僧人，更像個無主的野武士。書末不需言說的結局，感覺好像可以聽到木梆子一響，同時爆出滿堂彩。

真實的禪海和尚是越後（現在的新潟縣）人，在雲遊各地修行的途中，來到此地目擊有人摔死，因此決心開鑿隧道。據說長達三四二公尺的青洞門現今仍有部分留存，可以實際入內參觀。

1. 江戶時代，將軍的直屬家臣武士中俸祿一萬石以下，並且有資格謁見將軍者。

- 菊池寬（Kikuchi Kan，一八八八～一九四八）主要作品有《父歸》（父）、《珍珠夫人》等。文壇咸將其與舊制一高同學芥川龍之介和久米正雄比較，較晚方獲肯定。晚年創辦文藝春秋社，創立芥川獎、直木獎。

榮耀歸於上帝。

大岡昇平《野火》　野火，一九五二年

被放棄的兵士在戰場上看到了什麼？

在那場大戰，大岡昇平以一介士兵身分被送往菲律賓的民都洛島，於雷伊泰島的戰俘收容所迎接日本戰敗。他根據這段時期的體驗，寫下包括《俘虜記》（俘虜記，一九五二年）、《雷伊泰戰記》（レイテ戦記，一九七一年）在內的三本「戰爭文學」。

其中《野火》應該是「最像小說的小說」。

故事突然從一句「**我臉上挨了一拳**」展開。甫登上雷伊泰島沒多久，「我」就咳起血來，在病患收容所住了三天出院，不料分隊長卻說「中隊沒工夫養你這種癆病鬼」，就此被趕出隊上。

於是「我」帶著一丁點糧食、槍和手榴彈，獨自徘徊山野，面對絕望的飢餓。處在極限狀態的人類，為了活下去做出極限的選擇（至於是何種選擇，這裡就不透露了）。第一次讀到的人想必會大受衝擊。

但談到《野火》是否為戰爭文學，倒是有點微妙。進入本書尾聲，讀者會得知這篇故事其實是在「精神病院的一室」寫下的手記。到最後，「我」在幻覺與幻聽之中，意識漸漸朝上帝靠攏。「如果他真正是為了我一人，而被派遣到這座菲律賓小島的山野之中／榮耀歸於上帝。」

結尾這句話宛如哲學或宗教問答，與後來完成的《雷伊泰戰記》結尾「死者的證詞是多面向的」，實呈兩個極端。儘管舞臺是戰場，敘事者是士兵，但從《野火》當中，我們無法學到戰爭。因為「我」是脫隊的士兵，「我」遇到的同胞也全然不是士兵的樣貌。愈是窮究「個體」的內在，就成了愈遠離戰爭實相的「文學」。戰爭可不能任意歸結到上帝身上啊！

或說大岡昇平比任何人都更清楚這一點，後來才會寫下大部頭的《雷伊泰戰記》？從這個意義上來說，《野火》結尾這段文字可能根本就是連繫兩部作品的那句「神之啟示」。

《野火》中有一段令人印象深刻的句子：「不了解戰爭的人，只能說是半個大人。」本作在二〇一五年改編成電影（塚本晋也導演・主演），在國際間獲得極高的評價。

• 大岡昇平（Ooka Shohei，一九〇九～一九八八）主要作品有《俘虜記》、《雷伊泰戰記》等。太平洋戰爭時期，在菲律賓民都洛島的被俘經驗為其主要作品的重要主題。對詩人中原中也和富永太郎的論述考據，以及法國作家司湯達爾（Stendhal）作品的翻譯亦相當有名。

於是他們站了起來。——再一次站起來！

小林多喜二《蟹工船》　蟹工船，一九二九年

從地獄深淵站起來的勞工

小林多喜二的《蟹工船》是意外在二〇〇八年登上暢銷書榜的無產階級文學代表作。分析認為，這部在文學史沉睡多年的作品會再次受時代的青睞，是因為現代派遣勞工的處境就有如《蟹工船》中的描寫。

小說以「『喂！要來去地獄啦！』」的震撼臺詞開場，描寫自函館前往鄂霍次克海的蟹工船博光號上的淒慘生活。只有監工淺川有名字可叫，其餘全是沒有名字的龐雜勞工，就是這些人所構成的船上百態。不會讓人感到陳舊的報導風格筆觸，應該也是吸引年輕讀者的主因。

結尾也不遜於開頭，震撼性十足。「不幹了不幹了！」漁工這樣一句話，讓消極的怠工氣氛擴散開來。儘管後來發展成三百人規模的罷工活動，最終勞工還是失敗了。他們在稱為「糞桶」的船艙裡討論著：「再繼續這樣幹下去，咱們真的會沒命。」「不是活，就是死。」「好，再拚一次！」

然後是令人印象深刻的最後一句：

「於是他們站了起來。——再一次站起來！」

再一次！這樣的結尾顯現出《蟹工船》引起共鳴的理由之一。其中蘊藏的是「不屈不撓」的訊息。從「來去地獄」展開，結束在從地獄深淵站起來前一刻。說到昭和時代的無產階級文學風格，就是「階級覺醒」，但以平成年代的階級社會風格來說，應該是「窮忙族的反撲」吧。

《蟹工船》出版的一九二九年適逢經濟大蕭條，類似金融海嘯後的二〇一〇年前後光景。小說簡短的「附記」（後續發展）提到「第二次的全面『怠工』順利成功」云云，並畫蛇添足地以「本篇是『資本主義在殖民地的侵入史』的一頁」作結，但在此我想視其為附錄，怠工成不成功是另一回事，就要結束在重新站起來之前，《蟹工船》才瀟灑帥氣。

但說到《蟹工船》的缺點，就是意識形態掛帥，缺少製作蟹肉罐頭等勞動現場描寫。不過真實的蟹工船樣貌，可以透過五稜郭附近的函館市北洋資料館等地了解。

● 小林多喜二（Kobayashi Takiji，一九〇三～一九三三）主要作品有《黨生活者》（党生活者）等。任職於北海道拓殖銀行期間深受共產主義運動吸引，成為無產階級文學旗手。作品描寫共產黨員勞工的各種形象，以及對掌權者打壓思想的憎恨。最後遭到特別高等警察拷問虐殺。

小陽春的明媚陽光傾灑在山腳的村莊。

藤澤周平《黃昏清兵衛》たそがれ清兵衛，一九八三年

在家疼某大丈夫，在外無敵大劍豪

井口清兵衛因為每到下班時間便匆匆趕回家，被同僚們戲稱為「黃昏清兵衛」。藤澤周平的《黃昏清兵衛》描寫比工作更重視家庭的武士，讓人忍不住省思起工作與生活的平衡。因為妻子抱病在身，清兵衛必須早點回家做家事、照顧妻子。但劍術高強的他被上司相中，奉主君之命討伐罪人。可清兵衛卻說得先回家一趟，照顧好妻子後再前去赴約。然而眾人不管再怎麼等，都等不到清兵衛人影。焦急的上司在內心咒罵：「忙著給老婆把屎尿嗎？混帳東西！」

出版當時的八〇年代，社會上充斥著二十四小時打拚的企業戰士，這部作品或許也寓含希望工作過度的日本人暫時停下腳步的意圖。收錄同名短篇集的八篇作品中，還有〈生瓜與右衛門〉（うらなり与右衛門）、〈馬屁精甚內〉（ごますり甚内）、〈愛忘事的萬六〉（ど忘れ万六），全是以沒出息的下級武士為主角。而且他們不是疼老婆就是怕老婆，感覺永無出頭之日。不過八〇年代的日本人對工作仍抱有夢想，證據就是這些不起眼的下級武士，其實每一個都是深藏不露的劍術達人，總會在關鍵時刻大顯身手，立下戰功（這也是這部作品會深受廣大

父親們喜愛的理由）。清兵衛最終也一擊打倒陰謀策畫推翻舊藩主、另立新藩主的首席家老，實現了讓妻子好好療養的心願。

最後一幕是清兵衛去拜訪在郊外靜養的妻子的場景。看到妻子能起身走動了，清兵衛感動萬分，溫柔地握住她的手。

「小陽春的明媚陽光傾灑在山腳的村莊。」

再典型不過的 Happy Ending。不過當時是江戶時代，清兵衛又是劍術高手。就在這溫馨一幕的短短三十分鐘前，他才在路上將刺客一刀斃命。

要是停下來質疑這樣的情節發展，就沒辦法讀時代小說了，感覺就像是在探望病妻的路上肇事逃逸。當然，這也是劍豪的宿命吧。描寫美麗的情景，一筆蒙混過殘忍的行徑，作家的筆力也媲美劍豪。

作品的舞臺應該是藤澤周平作品中為人所熟悉的「海坂藩」（原型為庄內藩）。二〇〇二年改編電影，因為是名導山田洋次首次拍攝的正宗時代劇，引發話題。

● 藤澤周平（Fujisawa Syuhei，一九二七～一九九七）主要作品有《隱劍孤影抄》、《鏢客日月抄》（用心棒日月抄）等。擔任產業報編輯的餘暇從事寫作，以《暗殺的年輪》（暗殺の年輪）獲得直木獎，此後正式邁入作家生涯，成為人氣作家，產量旺盛。

早瀨抱著阿蔦的黑髮，果決地服毒自盡。

泉鏡花《婦系圖》　婦系図，一九〇五年

選擇老師，還是女人？

泉鏡花的《婦系圖》是一部悲戀之作。藝伎出身的阿蔦在湯島天神的臺詞亦相當有名：「分手這種話是對藝伎說的。對於現在的我，請叫我去死吧！」但是因舞臺劇和電影而聞名的這句臺詞，翻遍整本《婦系圖》也找不到。因為原作與其說是悲戀，更像一部復仇劇，與戲劇大相逕庭。

主角早瀨主稅是在恩師酒井俊藏底下學習德語的陸軍參謀本部翻譯官。他與柳橋藝伎出身的阿蔦共組家庭，卻向恩師酒井隱瞞自己的婚姻。這時，酒井的女兒妙子與靜岡名門少爺河野英吉談起婚事。英吉委託早瀨調查妙子的背景，早瀨憤而拒絕，於是早瀨與阿蔦的關係曝了光，恩師逼迫他：「『你要拋棄我，還是拋棄女人？』」早瀨發誓：「『老師，我會拋棄女人。』」

到此是前半部。故事來到後半，早瀨丟掉了東京的飯碗，也和阿蔦分手，搬到靜岡，向以血統和經歷論人的世人及河野一家展開復仇之路。

接下來便是一連串的「咦！」「太扯了吧！」，前往結尾的路急轉直下。

早瀨在久能山東照宮與河野家的家長英臣對決，見證河野家的人在一片腥風血雨中陸續喪命。接著結局唐突地到來。「當晚在清水港的旅店（略），早瀨抱著阿蔦的黑髮，果決地服毒自盡。」

文庫版《婦系圖》最後附上了早瀨的遺書，內容類似「前面都是唬人的」，可接下來又是作者的附記「從早瀨果決地云云以下二十一行刪除」。畢竟還有原型人物的問題等等，鏡花似乎為了結局頗為煩惱。

但假使遵照作者的意圖，還是應該將報紙上連載時的結語「果決地服毒自盡」當成結局。這是日本文學中相當罕見的「浪人小說」（Picaresque novel，或譯流浪漢小說）。早瀨是個壞胚子，而河野家女人之陰險惡毒亦不遑多讓。相較之下，途中病倒死去的阿蔦根本就是個小角色。最後讓她以遺髮的形式登場算是堪以告慰嗎？可是畢竟只有頭髮。

那段「分手這種話……」的臺詞，是《婦系圖》衍生戲劇《湯島境內》（湯島の境內，一九一四年）其中的一節。是鏡花好意讓沒什麼存在感的阿蔦出出鋒頭嗎？

- 泉鏡花（Izumi Kyoka，一八七三～一九三九）主要作品有《照葉狂言》（照葉狂言）、《高野聖》、《歌行燈》（歌行燈）等。拜尾崎紅葉為師，主要作品中常有藝伎登場，描寫風塵女子內心的悲哀，深獲夏目漱石、志賀直哉、芥川龍之介等人肯定。

我直到今日的人生，也都在述說著那個人。

遠藤周作《沉默》　沉默，一九六六年

棄教傳教士的苦惱與抉擇

背景是島原之亂（一六三七～三八年）剛過去不久，德川政權統治下的日本。耶穌會神父羅德里戈為了追查棄教的老師下落，潛入長崎。遠藤周作的《沉默》是主要從羅德里戈的視點來探討「棄教」問題的異色長篇小說。書中登場角色包括宛如猶大的吉次郎、長崎奉行井上筑後守等人，劇情發展緊張刺激。

原本是模範神父的羅德里戈最後舉起腳踩踏了基督的聖像。但並非因為承受不了拷問的痛苦，而是他耳中充斥著遭到「穴吊[2]」酷刑的信徒們陣陣呻吟聲。老師也說服他「只要你棄教，他們就能從洞穴裡被拉出來，擺脫痛苦」。腳底踩上聖像的瞬間，他聽見了上帝的聲音：

「踩下去吧！你的腳有多痛，我最清楚。」

就這樣，羅德里戈成了棄教傳教士，然而他在屈辱中對正義卻更加深信不疑。最後一句話即是作品中再三提問的「主啊，祢為何沉默」的回答，亦可說反過來告白了他的信仰。

「那個人並未沉默。即使那個人沉默著，我直到今日的人生，也都在述說著那個人。」

那個人當然是指基督。只要是為了痛苦的人，基督一定也會棄教的。直至今日的苦難，也是上帝引導我悟出這個道理。即是這種思維的翻轉。

小說接下來還有一部〈切支丹大宅官員日記〉（切支丹屋敷役人日記），交代了改名岡田三右衛門的羅德里戈在江戶後來的狀況，結尾是「**餘火葬費百疋**[3]，**祭弔什物用度，皆以三右衛門所持之金支付。**」

內容描寫六十四歲過世的羅德里戈改名三右衛門，取了法名，進行火葬，也就是以佛教徒的身分下葬。由於是文言文日記形式的後續，我原本認為可以跳過，但仔細一讀，棄教後的三右衛門（羅德里戈）人生亦相當波瀾萬丈，似乎仍堅守著信仰。這是極為殘酷且深不見底的「捨名取實」的故事。

內容真偽不明，但據說作品發表之初遭天主教會的否定。建有「沉默之碑」的遠藤周作文學館所在的長崎縣外海町，如今是小有名氣的觀光勝地。

2. 當年日本迫害基督徒使用的嚴酷刑罰。受刑人遭五花大綁，倒吊進與身體等寬、底部滿是排泄物的洞穴中，此時血液會從臉上被打了洞的地方慢慢流出。這種刑罰能加深受刑人的痛苦，卻不易速死。

3. 日本古時數錢的單位。

● 遠藤周作（Endo Syusaku，一九二三～一九九六）主要作品有《海與毒藥》（海と毒）、《武士》（侍）等。天主教徒，為了研究現代天主教文學而前往法國，回國後以《白色的人》（白い人）獲得芥川獎。主要作品中大多探討日本能否擁有真正的基督教信仰等主題。

盡此杯中物，潸然淚不止。

石川達三《四十八歲的抵抗》　四十八歳の抵抗，一九五六年

對女兒的結婚對象痛罵「混帳王八蛋！」

四十八歲，現今來看根本不算「初老」。大澤隆夫、桑田真澄、佐佐木藏之介、淳君、名倉潤、山崎邦正、渡部篤郎（以上皆為一九六八年生[4]）、及川光博、加藤浩次、田邊誠一、槙原敬之、福山雅治、的場浩司、吉田榮作（以上皆為一九六九年生），前述逐一列舉出的男演員，每一位都仍在第一線活躍，絲毫不顯老態。

但是半個世紀以前可不是如此。當時，男性的平均壽命才六十五歲上下，退休年齡是五十五歲。不願意人生就此結束的焦慮，應該比現代更為強烈。石川達三《四十八歲的抵抗》這部長篇小說就是描寫那個年代男人渺小的抵抗。

主角西村耕太郎是任職於保險公司的四十八歲上班族。他爬到了次長的職位，有著妻子和二十三歲的女兒。至於這樣的他所採取的抵抗，就是對女下屬及藝伎出身的女性動情，或是在部下邀約下參加裸體照片攝影會，僅僅這般程度罷了。最後他下了一大決心，和十九歲的酒女由香一起去熱海進行了一趟溫泉旅行，但終究不可能有任何結果……

讓這部通俗小說略顯美中不足之處，可能是歌德的《浮士德》。作品中有個分不出是敵是

友的部下登場，媲美惡魔梅菲斯特般誘惑著西村。西村則將站前書店買回來的《浮士德》和自己重疊在一起。

因此，最後一句也引用了森鷗外翻譯的《浮士德》：

「盡此杯中物，潸然淚不止。」

這是在女兒理枝的婚禮上，西村終於領悟到自己老去的場景。「淚水」是初老男人落敗的眼淚。西村的抵抗，也可以說是對戰後派世代年輕人的抵抗。得知女兒的男友不過是個十九歲的學生，西村勃然大怒：「混帳王八蛋！這傢伙未免太早熟了！」他在那個年紀，可是純情到連看個電影床戲都會一陣面紅耳赤呢！石原慎太郎《太陽的季節》在隔年成了暢銷作。對於人稱「太陽族」的年輕世代的競爭意識，可謂欲蓋彌彰。

《浮士德》第一部是初老哲學家浮士德博士以出賣自己的靈魂為代價，和市井女孩格雷琴戀愛的故事。本書中儘管主角的行為很遜，但也可說是《浮士德》的諧謔之作。

4. 本書出版年分為二〇一六年，作者提及的演員年紀當時都約莫四十八歲。

● 石川達三（Ishikawa Tastuzo，一九〇五～一九八五）主要作品有《蒼氓》、《活生生的士兵》（生きている兵隊）、《人類之壁》（人間の壁）等。《蒼氓》獲得第一屆芥川獎。曾在巴西度過農場生活，戰時擔任從軍記者，後來成為活躍的流行作家。在報刊連載的小說尤其廣受歡迎。

因此我要結束這篇可笑的時刻表極道故事了。

宮脇俊三《時刻表兩萬公里》　時刻表2万キロ，一九七八年

為了乘坐未搭乘區間的路線，走南闖北

假使你自認鐵道迷，絕對知道這本書。

宮脇俊三《時刻表兩萬公里》以「鐵道的『時刻表』也有忠實讀者」這句話展開，不僅是向世人揭露鐵道迷這個族群的里程碑紀實作，也是稱霸當時國鐵全線的血汗紀錄。

最棒的是，這本書是從已經搭乘完國鐵全線近九成後開始。剩餘一成多的區間，以距離來說雖短，但許多都是偏遠地區的虧損路線，而且散布全國各地。只為了搭乘短短幾公里、有時是短短一站距離的未乘坐區間，必須接力轉乘坐過的特急或急行，或跳上星期五的夜間列車，有時南征九州，有時北討北海道……

即使如此，終點終究會到來。作者自幼年起，長達四十年以上都是時刻表的忠實讀者，當他最後乘上足尾線，達成稱霸國鐵的野望時，反倒變得失魂落魄，甚至忘記買時刻表。就在這時，他接到了氣仙沼全線開通的好消息！最後一章，作者連新開通的氣仙沼線也搭乘完畢，難過地嘟噥：「這下又無線可坐了。」

一九七〇年代後半，國鐵的虧損問題浮上檯面，開通新線的計畫也放慢了腳步。最後是直

截了當到不行的結尾：「總之，因為沒有路線可坐，所以也沒東西好寫。因此我要結束這篇可笑的時刻表極道故事了。」

其實，接下來作者又說「這樣未免過於散漫」，並引用捷克作家卡雷爾·恰佩克的《園丁的一年》：「真正最重要的事物在於我們的未來。每當迎接新的一年，植物就生長得更高、更美。可喜的是，我們又增長了一歲。」這樣的結尾不壞，但只算得上一種附錄，來自於作者的靦腆。我們應該深入體會「可笑的時刻表極道」這一句。真正的愛好者不會四處宣揚自己的嗜好。這樣的自持也令人莞爾。

本書登場的路線後來七成以上都廢除了。其中足尾線改頭換面，成了「渡良瀨溪谷鐵道」；氣仙沼線則是在東日本大地震以後，由JR東日本重新修建為巴士專用道。

● 宮脇俊三（Miyawaki Syunzo，一九二六～二〇〇三）主要作品有《最長單程之旅》（最長片道切符の旅）、《時刻表昭和史》（時刻表昭和史）等。曾任職中央公論社，推出《世界的歷史》（世界の歷史）、《日本的歷史》（日本の史）系列，並創刊「中公新書」。離職後寫下許多出色的散文，奠定鐵道紀行文學此一文類。

可喜的是，我們又增長了一歲。

卡雷爾・恰佩克《園丁的一年》*Zahradníkův rok*，一九二九年

園藝迷永恆的聖經

園藝熱潮方興未艾，若說有哪個園藝愛好者沒聽過本書，我可要說他才是魚目混珠。《園丁的一年》是捷克的代表作家、亦是頭號園藝愛好家卡雷爾・恰佩克所寫的珠玉散文集。本書從一月到十二月，依不同的季節來進行觀察、分析，然而描寫對象不是「園藝」，而是「園丁」的生態。

到了四月，園丁們各個生龍活虎，這是草木萌芽與移植的季節。因此「**四月的園丁手上捧著要死不活的扦插苗，在自家庭院繞上二十遍，四處尋找尚未種上任何植物的空間。**」

七月主要的工作是澆水，但園丁說「**其中水灌得最凶的就是自己**」。「**水管這玩意兒，最會在中間意想不到的地方破洞**」，因此總是搞得自己淋了滿身水。

來到最後的〈十二月的園丁〉一章，園丁總算發現了一件事。

「**到了庭院掩埋在積雪底下的這時節，園丁才驚覺自己忘了一件重要的事：欣賞庭院。**」

這本書不只是園丁，凡是對某件事物痴迷的人看了都會忍不住苦笑：「哎呀呀，簡直是在說我！」同時，它也帶有幾許人生之書的況味。作家說：「**我們園丁總是活在未來。**」一見

玫瑰花開，就想像著明年會開得更美，想像十年後這棵樹會更茁壯，五十年後更雄偉可觀。

「真正最重要的事物在於我們的未來。每當迎接新的一年，植物就生長得更高、更美。可喜的是，我們又增長了一歲。」

這是結尾之語。從園丁的眼光看來，歲月流轉才是至高的歡喜。在「當下」這片土壤裡什麼都看不見，然而土壤中許許多多的新芽正在成長。或許這是作家，不，園丁給我們的小小啟示，要我們別為當下悲觀。

當時捷克正值遭納粹入侵的前夕，作者持續不斷地抵抗，從這個角度來看，這樣的結尾又有了另一層意義。作者兄長約瑟夫（後來死於集中營）繪製的插畫亦十分賞心悅目。

- 卡雷爾・恰佩克（Karel apek，一八九〇～一九三八）主要作品有《山椒魚戰爭》（*Válka s mloky*），戲劇《白病》（*Bílánemoc*）、《母親》（*Matka*）。捷克國民作家。機器人 Robot 一詞，即來自他的成名劇作《羅梭的萬能工人》（*Rossumovi Univerzální Roboti*）。《山椒魚戰爭》和戲劇《母親》等晚年作嚴厲地批判納粹。

生而為人，不應排斥與人為伍。

福澤諭吉《勸學》　学問のすゝめ，一八七六年

從頭到尾都很實用的自我勵志書

「有句話說：天不在人上造人，亦不在人下造人。」

這是福澤諭吉《勸學》開宗明義無人不知的第一句。不過，千萬不要誤會。諭吉闡述的並非「人類皆兄弟」的平等思想。

接下來的一段文字意近「世上不是也有聰明之人和愚笨之人、窮人和富人、地位高和地位低的人嗎?但為何會有這樣的差別呢?」最後提出結論：差別在於是否擁有學問（「賢人與愚人之別，在於學與不學。」）。

「人生來無貴賤貧富之別，唯勤學博聞者貴及富，無學者則貧及賤。」

不學無術的人會變「窮」，而且地位「低賤」，所以大家要好好向學!作者如是說。

《勸學》是明治時代的超級暢銷書。從一八七二（明治五）年起，五年下來以共十七篇的小冊子形式出版，諭吉也大發豪語稱假設一篇賣出二十萬部，至少總共賣出三、四十萬部。從內容來看，接近今日的自我啟發書、勵志商管書。書中疾呼江戶的身分制度已然落伍，鼓舞讀者應學習實學、成為敢於向政府提出意見的人民。這樣的煽動詞句，肯定讓人們體認到時代已

經改變了。

最後的〈十七篇〉的標題是「人望論」，是自我宣傳論和溝通技巧論。作者說，不管在圍棋、將棋、美食、品茶、比腕力等哪個領域都好，應該要多多與人交往。

「以世界土地之廣，人與人交際之繁，其趣稍異於三、五條鮒魚於井中虛度歲月。生而為人，不應排斥與人為伍。」

世界廣大，人不是井底之蛙。這是遊歷過大世界的人才寫得出來的文字。比起抽象的開頭，結尾所言適用範圍更廣。但是許多明治以降的菁英分子曲解了諭吉的教誨，競相以學歷為志向。今後我想宣揚這最後一句，並且奉勸如今備受人際關係苦惱的年輕人：各位，「生而為人，不應排斥與人為伍」。福澤諭吉也這麼說喔！

其實本書是寫給男性看的。福澤諭吉寫給女性的著作是《女大學評論．新女大學》（收錄於石川松太郎編《女大學集》）。這當中前瞻與歧視觀點混雜摻半，相當有意思。

● 福澤諭吉（Fukuzawa Yukichi，一八三五～一九〇一）主要作品有《西洋事情》（西洋事情）、《文明論之概略》（文明論之概略）、《福翁自傳》（福翁自伝）等。青年時期前往美國、歐洲等地訪問，學習英美民主主義思想，回國後成立慶應義塾。為啟蒙日本年輕世代和國民，以及國家的近代化一生奉獻。

老人夢見了獅子。

海明威《老人與海》*The Old Man and the Sea*，一九五二年

老漁夫和大旗魚的決鬥

對於海明威《老人與海》這書名，我以前想像的是在春光明媚的海邊悠閒垂釣的老人身影。當然，這番想像錯得離譜。這部故事的骨幹是一名老漁夫與巨大旗魚的生死格鬥。長達四天的纏鬥之後，老人終於制服大魚，然而綁在船身上的獵物卻早被鯊魚咬得稀巴爛，回到港口時只剩下殘骸。

早年的我會誤解也是難免（希望是）。畢竟主角老人聖地牙哥弱不禁風，是日本文學當中極其罕見的人物類型。他是個肉體派老人。而且就像個肉體派人士，他比任何人都更清楚自己肉體的衰老。小說從「**他已上了年紀**」一句開展，刻意描寫老人骨瘦如柴的四肢、冒出褐斑的皮膚；獨自出海的聖地牙哥還對自己的左手說「加把勁」、為自己打氣「腦袋啊，清醒點」，這些都是來自肉體派觀點的小說描寫。

這樣的老人，每當入眠就會夢見獅子。最後也是如此。回到了港口，老人睡得不省人事。總是前來幫忙老人的男孩注視著他的睡容。然後是全書最後一句：

「老人夢見了獅子。」

為什麼是獅子？難道老人將過去的自己和百獸之王重疊了嗎？

不過往前翻閱可以看出，獅子並不一定指稱狩獵者的獅子。「獅子在蒼茫的暮色中像小貓一樣嬉戲。老人深愛獅子那模樣。」海明威是個出了名的愛貓人，而拔掉利牙的獅子就是貓。

這樣一想，《老人與海》也可以解讀為是一部其實想當貓的獅子的故事。化為殘骸的旗魚和遍體鱗傷的老人重疊了，而老人夢中的獅子一派和平。

這是身心都被要求是肉體派的美國式英雄的悲喜劇。相較之下，在春季海濱悠閒垂釣的東方太公望或許更為幸福得多。

這是深愛古巴的作家，以古巴為舞臺、在古巴完成的經典名作。本書還有另一個重要的角色，就是尊敬老人的男孩馬諾林。這孩子為此作帶來了光明。

- 厄尼斯特・海明威（Ernest Miller Hemingway，一八九九～一九六一）主要作品有《戰地鐘聲》、《戰地春夢》等。美國作家。以第一次大戰體驗為題材寫下許多作品，一九五四年獲頒諾貝爾文學獎。晚年深受兩次飛機事故的後遺症所苦，以獵槍自殺。

如今我深感這是對我無法無天、恣意妄為的報應。

宇野千代《阿半》おはん，一九五七年

與下堂妻破鏡重圓

書名是女人的名字，主角卻是男人。宇野千代的《阿半》是一部相當奇特的小說。

敘事者「我」這名男子在七年前搞上藝伎千代，與妻子離異。某天「我」與前妻阿半重逢，此後便瞞著千代與阿半幽會。「我」後來得知兒子悟在離異後出生，如今已經七歲。「我」期盼親子三人重新來過，連要搬遷的新家都找好了，卻仍割捨不下千代和十三歲養女阿仙……在兩個家庭之間搖擺迷惘的男子，是關西人口中最典型的「軟爛男」。

情節發展固然特別，但這部小說最大的特色是全篇以關西口語寫成。整部小說彷彿以大大的「」框了起來。

「我就在等您問起。我原本是河原一家字號加納屋的染布坊之子。」如此娓娓道來的小說摻雜著「我覺得自己實在蠢到了極點」之類的辯解，逐步開展情節，最後同樣以自虐式的懺悔閉幕。

「如今我深感這是對我無法無天、恣意妄為的報應。」這裡說的「報應」，指的是兒子悟不幸的事故，以及和阿半分手。「我」認為自己幹的蠢事終究遭到了天譴。

但是男人真的反省了嗎？嘴上淨說自己蠢笨，但這種「低聲下氣作戰」正是風流男子的處世之道（社會上就是有女人對這類男人無法招架）。本人裝出一副在地獄中煎熬的苦態，但同時深受兩名女子所愛的「我」，這人生不叫天堂，還能叫什麼？說起來，「我」對讀者「懺悔」本身根本只是放閃嘛。

在原文的口語渲染下，這部小說讀起來就像在聆聽江戶時代的市井說書。無用男和渣男只有一線之隔。主角算是《心中天網島》[5]中，在妓女小春和妻子阿三間搖擺不定的紙商治兵衛的末裔嗎？

電影版中是由石坂浩二飾演「我」，吉永小百合飾演阿半，大原麗子飾演千代。舞臺是以錦帶橋聞名的山口縣岩國市。這裡也是宇野千代的故鄉，街上還穿梭著「阿半巴士」。

5. 心中天網島，江戶時代劇作家近松門左衛門的人形淨琉璃戲目，於享保五年（一七二〇年）上演。

• 宇野千代（Uno Chiyo，一八九七～一九九六）主要作品有《色懺悔》（色ざんげ）、《某個女人的故事》（或る一人の女の話）等。和尾崎士郎、東鄉青兒等多位男性藝術家戀愛、結婚又分手，持續旺盛創作直到晚年。同時也是和服設計師、編輯、企業家，活躍於許多領域。

不出所料，正中紅心。

橫光利一《旅愁》　旅愁，一九四六年

以巴黎為舞臺的三角關係

橫光利一是以短篇〈機械〉等聞名的作家，不過說到最適合在無寐之夜綿綿無盡期地享受閱讀之樂的長篇小說，就是這部作品，作者未完成的大作《旅愁》。劇情雖非有趣到不行，卻是描寫東西方火爆衝突的一部怪誕之作。

小說突兀地從昭和十年的巴黎寫起。矢代耕一郎是攻讀歷史的留學生，和在船上相識的久慈是辯論對手。「啊，為什麼我不是出生在巴黎？」相對於洋派十足的久慈，矢代卻是個在出洋的異國中「日本魂」覺醒的日本主義者。兩人之間還有一位小姐千鶴子，引發三角戀爭奪戰，但意外的是，擄獲美人芳心的不是輕薄的久慈，而是木頭人矢代。

到這裡是以巴黎為舞臺的上集，下集舞臺回到日本，矢代和千鶴子訂婚了。但矢代心中一直有個莫大的疙瘩，那就是千鶴子是天主教徒，矢代的祖先卻是當年遭天主教徒武將大友宗麟以大砲攻滅的城主。

讀者或許會想「那又怎樣？」，但矢代可看得很嚴重。他將自己和千鶴子視同戰國武將細川忠興與妻子伽羅奢[6]，視久慈為高山右近[7]，自己煩惱個不停，拖延婚事（喂喂）。

後半的高潮，是矢代的父親驟逝，為了納骨，他前往大分，登上祖先遭滅的城堡遺址場景。「透出黑松樹幹間的大海色彩調和，彷彿過去居住在這裡的事物如今仍在呼吸一般。」假使結束在此處，就是美麗的閉幕了。

然而作家應該構想了更為壯闊的戲碼。到了尾聲，視點人物轉移到久慈，久慈的故事即將展開之際，小說戛然結束。久慈聆聽著擔憂戰爭爆發的巴黎時期友人演講，懷疑那是在對他已然分手的同居對象送秋波。「不出所料，正中紅心。」另一段三角戀情似乎即將浮上檯面。

《旅愁》的評價不佳。到了戰後，矢代痴迷於古神道教的國粹思想，受讀者批評為支持戰爭。橫光（與矢代）壯志未酬身先死，這部小說本身就宛如遭到摧毀的城堡。

這部作品依據作者自身在歐洲的體驗（一九三六年）所寫，卻因日本戰敗不久作家即過世，就此無疾而終。據說在報紙連載時，被視為人氣作家的歐洲見聞錄，博得相當的好評。

6. 細川忠興（一五六三～一六四六）為戰國時代至江戶初期的武將和大名，正室細川伽羅奢為天主教徒。
7. 高山右近（一五五二～一六一五）為戰國時代至江戶初期知名的天主教武將、大名，與細川忠興交情甚深。

● 橫光利一（Yokomitsu Riichi，一八九八～一九四七）主要作品有〈太陽〉（日輪）、《上海》（上海）、〈機械〉、《家徽》（紋章）等。受菊池寬薰陶，亦是被稱為新感覺派的川端康成等新進作家之一，活躍於文壇。由於戰時寫出受國粹主義影響的作品，戰後遭到強烈的抨擊。

浪濤就這樣不停地將我們推回過去，但我們仍奮力往前划行，宛如逆水行舟。

費茲傑羅《大亨小傳》*The Great Gatsby*，一九二五

追逐金錢和女人的野心男子末路

紐約郊外某戶豪宅夜夜笙歌，然而沒有任何出席者知道主辦人傑．蓋茨比的來歷。費茲傑羅的《大亨小傳》從許多意義來說，都是非常美國式的作品。一九二〇年代的美國正值第一次世界大戰結束，景氣空前熱絡，就像日本的泡沫經濟時期。

故事以搬到蓋茨比家隔壁的「我」，也就是尼克．卡拉威為敘事者，逐一揭露蓋茨比從貧窮階級一步步往上爬的經歷，以及蓋茨比和尼克的親戚黛西曾是一對佳偶。五年前，蓋茨比還是個無名的士官，在他遠赴海外時，黛西背叛了他，和富豪湯姆．布坎南結婚。自戰場歸來的蓋茨比為了挽回情人，搬到布坎南夫妻居住的海灣對面居住。蓋茨比與黛西重逢，瞬間美夢看似成真，然而……

得到金錢和女人，非常簡單明瞭的野心。然而畢生追求這個野心的蓋茨比，迎來的結局卻令人不勝唏噓。

這部小說最知名的正是最後一句。返回故鄉的前晚，「我」將過世的蓋茨比看作前往北美大陸追求新天地的祖先。蓋茨比相信美好的未來。「我」心生感觸：「**浪濤就這樣不停地將我們推回過去，但我們仍奮力往前划行，宛如逆水行舟。**」

這裡就看得出美國和日本的文化差異。要是日本，極盡榮華後破滅的蓋茨比，會被視為「諸行無常」、「盛者必衰之理」的例子。但以拓荒精神起家的國家就不同了。連鄰居不幸的命運，都能變成邁向明天的助力。

原本擔任觀察者、報告者的尼克，可說從這一刻起，成了自己人生的主角。這部小說從他父親的忠告展開：「世上並不是每個人都擁有和你一樣優越的條件。」這是一部完美的主角更迭劇。

這部作品也以勞勃．瑞福主演的電影版聞名。小說在二〇〇六年出版了村上春樹的新譯版，電影版於二〇一三年推出由李奧納多．狄卡皮歐主演的新版。

8. Lost Generation，通常指第一次世界大戰期間成年的一代人，因海明威在小說《太陽依舊升起》中用於題詞而廣為人知。

• 法蘭西斯．史考特．費茲傑羅（Francis Scott Key Fitzgerald，一八九六～一九四〇）主要作品有《美麗與毀滅》、《夜未央》等。美國作家。為「失落的一代」[8]代表作家，於一九二〇年代最為活躍。成為大眾作家後沉迷聲色，負債累累，後酒精成癮，死於心臟麻痺。

迄今百年有餘，美談仍流傳於世。

幸田露伴《五重塔》　五重塔，一八九二年

「藍領系」歷史小說傑作

世人皆風靡東京晴空塔，但說到元祖日本高塔，當然非五重塔莫屬。幸田露伴的《五重塔》是採訪其建設過程而寫就的藍領系小說傑作。

時間為江戶中期，木匠十兵衛有著一身好手藝，卻因不夠機靈，被取了個綽號「慢郎中十兵衛」；十兵衛的師傅則是擁有佛教建築實績的工頭「川越源太」。谷中的感應寺要重建五重塔，十兵衛、源太，以及感應寺的住持朗圓上人等人會激出什麼樣的火花？這段工程搶標劇就是前半段主要劇情。

十兵衛算是專門承包下游工程的小工務店老闆，沒有任何實績，卻打定主意非做這件工程不可。於是他直接找上感應寺的朗圓上人，淚流滿面地懇求。唯一理解十兵衛心願的上人可說是個寬宏大量的客戶。另一方面，被自以為是的十兵衛搞得一個頭兩個大的源太，儘管滿肚子火，最後還是將案子讓給了十兵衛，還暗助他安排工人和資材，是個慷慨的承包商老闆。雖說是文言文小說，劇情發展卻宛如現代的企業劇。

但職人的世界可是很嚴格的。頭一次承攬大工程的十兵衛面臨許多考驗。其中最嚴峻的考驗，便是即將落成時一場侵襲江戶的暴風雨。「沒問題的。」「暴風雨不可怕，地震也無可懼。」

高塔不動如山。小說在號角齊鳴般的一片讚賞中閉幕。

「此後，寶塔永年高聳天際，自西瞻仰，飛檐時吐素月，自東眺望，勾欄夕呑紅日，迄今百年有餘，美談仍流傳於世。」

高塔有時背對月亮，有時襯著夕陽聳立。小說一口氣飛越了百年的光陰。這部小說在報紙上開啟連載的時間，恰好是距離一七九一年（寬政三年）感應寺重建五重塔的第一百個年頭（第一座塔於一七七二年明和大火中燒燬）。最後一行中，讀者可看出這其實是感應寺第二代五重塔的緣起。不是從宗教家的角度，而是從職人的視線高度描寫，完全是本身亦為美文一代宗師的露伴作風。

如同十兵衛的預言，五重塔挺過了關東大地震，甚至在戰爭中倖存下來，卻在東京鐵塔動工興建時的一九五七年，因縱火殉情事件而燒燬。現今遺址僅留下地基石。

- 幸田露伴（Koda Rohan，一八六七～一九四七）主要作品有《風流微塵藏》（風流微塵）、《連環記》（連環記）等。以文言文寫作，《露團團》（露団々）、《風流佛》（風流仏）鞏固其文壇地位。與尾崎紅葉共同打造出「紅露時代」，並精通古典。女兒為作家幸田文。

偉大的李維耶、勝利的李維耶，他背負的是沉重的勝利。

聖修伯里《夜間飛行》*Vol de Nuit*，一九三一年

失事之夜，航空郵務公司的老闆如何面對？

只聽過《小王子》的讀者，想必會驚訝「這居然是同一位作家的作品？」若說《小王子》是人性的、兒童的故事，《夜間飛行》就是現實到可怕的、大人的故事。聖修伯里的《夜間飛行》就和他的出道作《南方郵航》（*Courrier Sud*）一樣，是描寫航行南美與歐洲兩地的航空郵務公司眾生相的中篇小說。

小說描述某一晚，自巴塔哥尼亞、智利、巴拉圭這南、西、北三地起飛的三架飛機，正準備返回布宜諾斯艾利斯。來自三地的郵件將聚集此處，再空運到歐洲。然而沒多久，暴風雨來襲，巴塔哥尼亞的飛機失去聯繫。在黑夜的孤獨中，駕駛員法比安拚命地握住操縱桿；郵務公司老闆李維耶則在地面祈禱一切平安無事。

結局怎麼了？「李維耶踩著沉靜的步伐，穿過在他嚴厲的視線中垂首的員工們，回到還有工作等著他的辦公室。偉大的李維耶、勝利的李維耶，他背負的是沉重的勝利。」

既然說他是勝利者，那麼飛機免於失事了嗎？然而這之前的一句話「**飛機這首管風琴的樂曲，正升上天際**」，答案已呼之欲出。

李維耶是個嚴格冷酷的老闆，甚至會因枝微末節的遲到不惜懲罰駕駛員。就算在惡劣的天氣、或是飛機才出過事故，照樣要求駕駛起飛。這是教人胃痛發作的一晚。天亮之後，這場事故將公諸於世，抨擊責難將排山倒海而來。

然而敘事者仍朝著李維耶的背影送上聲援：偉大的李維耶！一直冷靜敘事的作者，此刻激動萬分地給出了讚賞。

當時，夜間郵務飛行是伴隨著風險的新興行業。結尾所主張的是：即使如此也不能退縮。李維耶的信念是「愛護下屬，但不能讓他們知道」。這是全世界最孤高的商業小說，是獻給身為主管，日夜不懈孤獨奮鬥的你的文學作品。

堀口大學的譯本（一九三九年）中，僅有通訊文部分譯為文言文，如「燃料尚有幾許」，文字優美，堪稱名譯。據說本書亦反映了曾經從事同樣郵務工作的作者經驗。

- 聖修伯里（Antoine de Saint-Exupéry，一九〇〇～一九四四）主要作品有《小王子》、《南方郵航》、《人間大地》（*Terre des Hommes*）等。法國作家、飛行家。於航空隊服完兵役後，進入航空公司成為駕駛員。第二次世界大戰時從科西嘉島起飛進行偵察工作，就此失去音訊。

吾已坐擁無價寶，不求財富不求名。

牧野富太郎《牧野富太郎自敘傳》　牧野富太郎自叙伝，一九五六年

狂放植物學家的破天荒人生

說到土佐（現今高知縣）出身的名人，多數人只說得出坂本龍馬。實際上近代以後英傑輩出，包括板垣退助[9]、中江兆民[10]、寺田寅彥[11]，還有牧野富太郎。

牧野是知名的日本植物分類學之父，同時積極參加民間的植物同好會，是一名傑出的啟蒙家。他是現今所說的植物畫達人，也是自由奔放的散文家。以一句「**直截了當地說，花就是生殖器官**」開頭的《植物知識》（植物知識）一書、疾呼日文中「馬鈴薯」和「ジャガイモ」是兩種不同之物的《植物一日一題》（植物一日一題）等散文集也很有趣。但他的狂放不羈，最為清楚地反映在其晚年著作《牧野富太郎自敘傳》。

「**土佐國，高岡郡佐川町，此鎮位在高知往西七里之處，周圍群山環繞，其間農田遍地，春日川流經其中。**」

由故鄉的自然誌娓娓道起，十足自然學家風格。

不過，牧野富太郎的人生真不是蓋的。他出生於富裕的釀酒廠，兒時父母雙亡，讀過寺子屋[12]和鄉校之後覺得小學課程無聊透頂，隨後輟學。有段時期投入自由民權運動，二十多歲時

往返於東京與高知，成天採集植物。曾投入東大的植物學教室協助研究，卻在某些原因下被禁止進入。後來雖被錄取為正式助理，薪水只有微薄的十五圓，老家財產因全部投入研究而告罄，卻有十三個孩子嗷嗷待哺……他於六十五歲獲得理學博士學位時詠了一首歌：

「喪盡一切好奇心，／吾等學問化平凡。」

明明不想要學者的稱號，卻被硬塞了一個學位，太庸俗了，無聊透頂。這就是他的態度。

自敘傳的末尾以一首詩點綴：

「臨終歌云，／學問為無窮盡之技藝，／憂鬱為忘繁花之疾病，／庭院不負研究室之名，／細探愈現新事實，／新事實積累成知識，／吾已坐擁無價寶，／不求財富不求名。」

時年牧野九十一歲。如今彷彿仍可看見他哈哈大笑地說「要怎樣啦?」的博士，不，頑童身影。

我另外也想推薦高知市縣立牧野植物園給植物迷們。牧野逝世隔年開幕的這座植物園，當得上他所說的「庭院不負研究室之名」。

9. 一八三七～一九一九，幕末、明治時期的政治家，自由民權運動指導者。
10. 一八四七～一九〇一，曾創刊《東洋自由新聞》、翻譯盧梭《社會契約論》，提倡自由民權運動。
11. 一八七八～一九三五，師事夏目漱石，於物理學及氣象學等領域留下卓越功績。
12. 寺子屋為江戶時代教導庶民孩童讀寫算等基礎教育的私人機構。多半開設於寺院。

● 牧野富太郎（Makino Tomitaro，一八六二～一九五七）主要作品有《牧野日本植物圖鑑》（牧野日本植物図鑑）、《牧野植物學全集》（牧野植物学全集）等。在東京大學理學部研究植物分類，製作多達六十萬個標本，為兩千五百種以上新種、新變種植物命名。建立起日本植物學的基礎。

頂多就到「Vaya con Dios, My Darling」吧！

山口瞳《江分利滿氏優雅的生活》

江分利満氏の優雅な生活，一九六三年

出征世代忘不了戰爭

山口瞳的《江分利滿氏優雅的生活》完全不像直木獎得獎作，是與波瀾萬丈沾不上邊的作品。

江分利滿（三十五歲）是任職於東西電機廣告部的上班族，與妻子夏子（三十四歲）和獨生子庄助（十歲）住在兩棟相連的時髦排屋裡。這棟屋子是公司宿舍，位在東橫線澀谷站與櫻木町站之間。在電氣化熱潮推波助瀾下，公司朝著大企業之路邁進，但電氣產品並非消耗品，因此前景堪憂。江分利的實領薪資是四萬圓，家境雖稱不上寬裕，他每星期卻非得豪飲一場不可。書中描述江分利的職場人際關係、母親的死、父親的人生、小鎮與酒，宛如人生履歷表。即使現今讀來也不過時，應該是因為文章輕妙，加上無論今日或半世紀前，上班族日常基本上沒有多大改變。然而，生於大正十五（一九二六）年的江分利感覺自己已然是舊時代的人。他在昭和二十（一九四五）年、終戰前不久被徵兵，自此忘不了眾多死於戰場的同年代人。

最後一章的標題是〈昭和的日本人〉。喝醉的江分利想起在戰前神宮球場看的大學棒球賽，以及戰後不久美軍打的美式足球米碗盃（Rice Bowl），腦中油然浮現日本「**死去的男人們、**

倖存的男人們」。「白頭老人絕不會原諒。不會原諒以甜言蜜語誘惑年輕人的人們。」可江分利之後的世代未曾體驗過戰爭。

「那樣的時代、那樣的事情都過去了，他想。那頂多就到『Vaya con Dios, My Darling』吧！」

〈Vaya con Dios〉是由江利智惠美翻唱、昭和二十八（一九五三）年發售的暢銷金曲。到了昭和三十一（一九五六）年，經濟白書宣稱已是「脫離戰後的年代」。對江分利世代來說，短短數年恍如隔世。儘管表面上擺出「上班族真是個輕鬆的飯碗」的態度，最後呈現的卻是極少數世代（同時擁有戰爭與企業社會這兩種「士兵」體驗世代）的精神史。開頭以為是風俗小說，最後卻幾乎成了反戰小說。

也是在這個時代，植木等吟唱著「上班族真是個輕鬆的飯碗」的歌曲〈咚咚節〉（ドント節）一砲而紅。附帶一提，植木等和山口瞳為同一世代的人。

• 山口瞳（Yamaguchi Hitomi，一九二六～一九九五）主要作品有《我要結婚》（結婚します）、《殺人凶手》（人殺し）、《血族》（血族）等。曾任職於洋酒公司的宣傳雜誌，同時創作《江分利滿氏的優雅生活》，並得到直木獎。於《週刊新潮》連載散文《男性自身》長達三十一年。

他想起了一先令就能買到十三顆上等牡蠣的日子。

毛姆《月亮與六便士》*The Moon and Sixpence*，一九一九年

為了畫而拋棄妻子及情人的男子

男人原是個平凡的股票經紀人，四十歲時拋棄妻子，宣布從倫敦搬到巴黎成為畫家。薩默塞特．毛姆的《月亮與六便士》據說是受後印象派畫家高更的生平啟發所寫下的作品。

「老實說，第一次認識查爾斯．史崔蘭時，我一點都不覺得他有何與眾不同。但到了今日，應該沒有人會否認他的偉大。（略）他受人嘲笑的時代已是過眼雲煙。」

這是全書開頭。小說以畫家逝後，作家「我」回想這位友人一生的形式展開，帶有些許推理小說的味道。

「我」問史崔蘭為何拋棄結縭十七年的妻子？史崔蘭說：「呵，有何不可？」當史崔蘭奪走友人之妻，導致該女子自殺時，「我」也提出質問。畫家的回答則是：「聊夠那女人了沒？她實在是無聊透頂。」後來史崔蘭搬去大溪地，然後再次娶妻生子，埋首創作，但……

史崔蘭是個腦袋裡只有繪畫的可惡男人，卻備受女人追捧。

那麼，女人們又怎麼想？小說最後寫到史崔蘭過世幾年之後，年老的「我」拜訪他的第一任妻子。她大大掛起已身價百倍的前夫的複製畫，聲稱天才的妻子有義務宣揚丈夫的成就。她

的庸俗讓「我」厭惡不已，原本打算說出《聖經》中的一節，終究打消了念頭。最後一句是「**他想起了一先令就能買到十三顆上等牡蠣的日子**」。

這裡的「他」是敘事者的叔叔。過去天然牡蠣是賤價的食物，然而到了十九世紀中期，由於海洋汙染等因素，牡蠣產量驟減，因而搖身一變成了高級食材，還被稱為「皇家御用牡蠣」。這正是諷刺「偉大的藝術家」過去也曾是「眾人嘲笑的對象」，從全然不懂藝術之人眼中看盡藝術家的一生。所謂世人眼中的藝術家皆是這副德行，這是自嘲？抑或只是斷念？

書名的意涵是「藝術與現實」或「天才與凡人」，也有人剖析敘事者有同性戀傾向。若是如此，「我」注視著史崔蘭的眼神得再添上更複雜的要素。

• 威廉・薩默塞特・毛姆（William Somerset Maugham，一八七四～一九六五）主要作品有《人性枷鎖》、〈紅毛〉（*Red*）、戲劇《上流人士》（*Our Betters*）等。英國作家。生於法國，父母早逝，由英國的叔叔收養。醫學院畢業後踏上文學創作之路，亦留下許多傑出的劇作。

請告訴他吧！說你們看見了淚流滿面的我。

保羅・高更《諾阿・諾阿》*Noa Noa*，一九〇二年

遠渡大溪地的畫家做了什麼？

以高更為原型人物完成的《月亮與六便士》，仍是毛姆渲染後的虛構小說。那麼真正的高更是什麼樣的人呢？

「諾阿諾阿」是大溪地語，意思是「馥郁的香氣」。高更於一八九一年六月至九三年六月住在大溪地，完成約五十幅畫作。《諾阿・諾阿》就是根據當時經驗寫下的手札。本書從歷經六十三天的航海、船隻抵達大溪地之後寫起。儘管一開始對歐洲化的大溪地感到失望，但高更還是在遠離中心地區的地方租下屋舍，漸漸融入當地生活與風俗。簡言之，就是一名歐洲男子褪去文明的外衣、重獲野性的靈魂之旅。

這本書可說感官性十足。又不如說，高更的眼裡幾乎只有當地女性：文明化的第一名情婦、探訪他的女王、答應讓他畫肖像的姑娘，以及成為他新娘的十三歲少女德烏拉。雖然不是總領事哈里斯與唐人阿吉[13]，或平克頓與蝴蝶夫人，但文明國家的男人似乎免不了得在當地討個老婆。

不過，這樣的男人有朝一日終究要返回祖國。高更也是。回法國的日子到來，他站在碼頭

的船隻甲板上，看著淚流滿面的德烏拉，憶起了以「來自南方與東方的輕風啊！」開頭的毛利人詩歌。

「快快聯袂奔向另一座島嶼吧！那裡有著拋下我的男人，正坐在他喜愛的樹蔭下。請告訴他吧！說你們看見了淚流滿面的我。」

以女性角度的詩歌結束大溪地之旅的報告，多麼春風得意啊。而且明確刻印著宗主國與殖民地的關係。假使真有這首詩，表示這片土地有過太多渡海而來的男女。不過《諾阿·諾阿》似乎也摻雜著高更渲染（願望？）過的虛構創作。當地女人很清楚該如何應付文明國家的男人。淚流滿面之後，或許她們會說著「哎，累死老娘嘍」，伸起懶腰來呢。

高更的現實人生絕不能說一帆風順。他兩度前往大溪地，本書是第一次去大溪地的生活紀錄。譯者評曰「高更的私人神話」。

13. 指幕末時期美國第一任駐日總領事哈里斯（Townsend Harris）及其侍女齋藤吉（斎藤きち），因十一谷義三郎以其為藍本寫成小說《唐人阿吉》，並改編為戲劇、電影等而膾炙人口。

- 保羅·高更（Eugène Henri Paul Gauguin，一八四八～一九〇三），法國後期印象派畫家。原本是成功的股票經紀人，出於興趣而作畫。曾經參加印象派畫展，與畫家梵谷同住一段時間後搬去大溪地，以當地人為題材進行創作，並執筆自傳等著作。

4

怪奇物語

幻想與妄想皆是文學的沃土。
大人的奇幻世界可一點也不甜美。

”
但牠們已經完全無法分辨誰是豬、誰是人了。
——喬治・歐威爾《動物農莊》

銀河彷彿嘩地一聲，朝他心中傾瀉而下。

川端康成《雪國》　雪国，一九四八年

在火災當下仰望星空

「穿過縣界漫長的隧道，便是雪國。」

只要是曾經搭火車從東京前往新潟的人，應該都能親身體會川端康成《雪國》那赫赫有名的開頭第一句話。從冬景蕭瑟的關東平原倏忽間闖進了白銀世界。但很遺憾，《雪國》的開頭並非明亮的「白銀世界」，下一刻映入眼簾的是「夜空下一片白茫」。在夜晚，隧道內外同樣沉浸在一片黑暗。不過幽微的雪光映照在車窗下呈現朦朧的白。開頭是這般的光景。順帶一提，《雪國》裡富雪國風情的雪景描寫其實出乎意料得少。

至於末尾，「島村站穩身子，抬頭一看，銀河彷彿嘩地一聲，朝他心中傾瀉而下。」寫的居然是銀河。是天空。

「銀河好美啊。」駒子呢喃著。這樣的收尾與開頭「夜空下一片白茫」形成絕妙的反差：即地面與天上、水平與垂直間的對比。

《雪國》以越後（現新潟縣）湯澤為舞臺，描寫飽食終日、無所用心的作家島村（有婦之夫）和藝伎駒子之間近乎露水鴛鴦的情緣；還有年紀更小的葉子，暗示三角關係的可能性。簡而言之，就是都會男子喜不自勝的炫耀文等廣為聽聞的幻想。前文提到的最後一幕也是火災場面，重新再讀，方知在慌亂的火災現場茫然仰望夜空的島村，儘管自詡為凜然的風流文士，終究只是個無用之人。

相較於開頭沉穩的景致，結尾的構圖感覺危機四伏。就好像原本潛伏在「夜空下」的雪奔向夜空，賞了島村一記鐵槌（天罰？）。熊熊燃燒的蠶房，以及背景是夜空燦白的銀河。冬季的銀河不同於迫力十足的夏季銀河，飄渺纖細。冬季的上越地區多半是陰天，條件並不適合觀星，儘管如此，書中對銀河的描寫卻執拗且精確，同時與描寫雪景的冷淡呈現對比。對島村來說，一切只是景色。隧道是景色，銀河是景色，女人當然也是景色。

一九三一年，位於群馬縣和新潟縣境界的清水隧道開通，《雪國》的開頭則是首次發表於一九三五年。在當時，這可說是「潮到出水的景色」吧！

● 川端康成（Kawabata Yasunari，一八九九～一九七二），作家資料見39頁。

與倒伏將死的一株雞冠花形影相顧，／此心何去復何從？

永井荷風《濹東綺譚》 濹東綺譚，一九三七年

初老作家的「一夏體驗」

「濹」這個不常見的漢字，據說意指隅田川。濹東顧名思義，指的是隅田川東邊、墨田區的向島一帶，也是永井荷風筆下《濹東綺譚》的舞臺。

《濹東綺譚》和川端康成的《雪國》有著異曲同工之妙，堪稱東京版《雪國》。如同《雪國》主角島村穿過了縣境隧道，《濹東綺譚》的敘事者、小說家「我」，大江匡亦跨過了隅田川。隧道與橋梁切斷了日常性，成為通往另一個世界的入口，另一側則有軟玉溫香的女子在等待。

如此這般，小說從散步的「我」邂逅私娼阿雪的經緯揭幕。時節是六月底。突來的雷雨中，一名女子直奔傘下：「老爺，勞駕，送我到那兒吧！」女子主動投傘送抱，這不叫男人的美夢，還能叫什麼？

但《濹東綺譚》也是一部文人趣味極強的小說。作品中穿插俳句、漢詩，甚至是「我」正在寫作的小說一部分。

結尾處，敘事者寫道：「信手走筆，寫下幾句不知是詩或散文的含糊字句，以慰今晚之愁緒。」「殘蚊自額上吸去我的熱血。」從宛如俳句的文句起始，接著是「妳執懷紙將其抹去，拋在庭院角落」，結尾則是「別了妳，此身伶仃，與倒伏將死的一株雞冠花形影相顧，／此心何去復何從？」完全就是一首詩。

蚊子出沒的季節結束了，進入雞冠花即將凋零的晚秋。儘管是這般離別之詩，卻難抹一絲戲謔的印象。不知為何，《濹東綺譚》裡蚊子的戲分頗重。雖可解釋為「妳是豔麗的雞冠花」、「我是僅存乎一夏、無足輕重的蚊子」，但也可稱主角與阿雪的邂逅和離別，至多像是被蚊子叮了一下罷了。

「我幾乎不曾看過活動照片[1]。」這樣的開頭，簡言之就是辯解，流連濹東不過是取代看電影的消遣活動？這般滿不在乎也和《雪國》一樣。阿雪二十六歲，大江五十八歲。原本就是男人的童話故事，不妨當成一場夏季的迷夢。

太宰治在《女學生》裡，對《濹東綺譚》有著這樣的批評：「儘管隨處可見作者的矯揉造作，還是備感過時陳舊」、「因為是老人家的關係嗎？」。女學生還真是口無遮攔呀。

1. 活動写真，當時電影的舊稱。

● 永井荷風（Nagai Kafu，一八七九～一九五九）主要作品有《美利堅物語》《比腕力》（腕）、《斷腸亭日乘》（腸亭日）等。出身良家子弟卻沉迷戲劇、流連花街，青年時期渡海赴美、法等國。回國後投入寫作，獲得肯定，奠定文壇大家地位。

就這樣，我永遠沉淪至中陰的黑暗裡……

芥川龍之介〈竹林中〉藪の中，一九二二年

以裁判員[2]的角度來讀審判劇

芥川龍之介的短篇作品中，應該再也沒有像〈竹林中〉這樣，以如此多彩多姿的角度廣為閱讀。此作是由《今昔物語集》中一篇脱胎換骨而成的短篇故事，由七名證人構成的一幕審判劇。

背景是平安時代，焦點是被棄屍在竹林裡的一具男屍。「是的，那具屍體就是我找到的。」從第一發現者樵夫展開，檢非違使[3]問出四名關係人的口供之後，命案的三名當事人登場了。三人的證詞彼此大為矛盾。強盜聲稱是自己殺的（頭號嫌犯）；妻子向神佛懺悔自己刺殺了丈夫（第二號嫌犯）；死者的靈魂則透過靈媒之口述説是自戕而死（被害者）。

有些人站在偵探的立場想找出真凶；也有人從文學的角度認為現實並非單一扁平的真相。但換成是現今的我們，想必依舊會從「裁判員的角度」來剖析吧。

強盜最後以「昂然的態度」説：「判處我極刑吧！」妻子最後泣不成聲説著：「我究竟……我……」有罪？無罪？如何量刑？教人一個頭兩個大。連讀本小説都躊躇不決了，假若遇到真實的審判，人們有辦法做出裁決嗎？

小說結尾是死者亡魂透過靈媒之口的告白。

「那人看不見的手輕輕地拔去我胸口的小刀，鮮血再次湧上口中。就這樣，我永遠沉淪至中陰的黑暗裡……」

中陰是人死後未投胎前的亡者世界。男子就此斷氣，所以才有最終「……」的靜默。但他的致命傷真是因為拔掉小刀造成的嗎？而這隻「看不見的手」又究竟是誰的手？

「真相宛如在竹林中[4]」，這個說法就是來自〈竹林中〉。到了最後關頭又衍生新的謎團。讀到這裡，就算不是死者，判斷恐怕也只能沉落中陰，無言以對。既然找不到凶器，對強盜及被害者之妻宣判無罪，應該才是身為裁判員最妥當的做法。即使如此，我們還是不免受自白所惑。簡直就像讀者也接受了考驗。

在這篇奇妙的作品中，每個當事人都宣稱「我是凶手」。改編此作品的黑澤明電影《羅生門》當中則對此給出了答案。

2. 指日本裁判員制度中的裁判員，其精神近似於國民法官。
3. 平安時代初期設立、掌握一定權力的官職，負責京都的治安及訴訟審判。
4. 在臺灣則是因為黑澤明改編的電影《羅生門》，而有了「真相宛如羅生門」的說法。

● 芥川龍之介（Akutagawa Ryunosuke，一八九二～一九二七）主要作品有〈羅生門〉、〈地獄變〉等。精通古今東西文學，從中取材，創作出許多獨特的傑作。師事高濱虛子，亦愛好俳句。晚年因神經衰弱，服用大量安眠藥自殺。

老虎昂首，朝已然暗淡的月亮咆哮二、三聲，復又躍入原先的草叢，消失無蹤。

中島敦〈山月記〉　山月記，一九四二年

夢想成為詩人的官吏命運

太宰治、松本清張、大岡昇平、埴谷雄高，這些作家和中島敦同樣生於一九〇九年。然而，三十三歲早逝的中島敦在其中顯得頗不起眼，直到〈山月記〉成為高中國文教科書裡的必選教材，他的名字方廣為人知。

「隴西李徵博學才穎，天寶末年，年少即名魁虎榜，繼而補江南尉。性狷介，自視甚高，不甘屈任賤吏。」

開頭就是如此高雅的文章！大意是：「秀才李徵年紀輕輕就考上高級公務員，成了菁英官僚，但因為心高氣傲，不願意一輩子當個死公務員。」

再讀〈山月記〉，真是一篇古怪的小說。

李徵辭去公職後專注作詩，卻遲遲未發揮才華，生計日漸困頓。他一度返回中央捧鐵飯碗，卻在出差時突然跑出屋外，就此下落不明。隔年，李徵友人袁悟外出旅行，碰上了變成老虎的李徵。

許多人應該記得最後一幕：「一行人目睹一虎自草叢躍出路上。」然後，「老虎昂首，朝已然暗淡的月亮咆哮二、三聲，復又躍入原先的草叢，消失無蹤。」

李徵未能實現詩人的夢想，反倒成了老虎。以小說來說是驚心動魄的落幕，但站在教育的立場來看又是如何呢？課堂上以「懦弱的自尊心與傲慢的羞恥心」為關鍵字，硬掰出近乎「就算空有才華，不努力也沒用喔」的寓意。可這應該是「明明沒有才華，淨空做美夢，也形同虛擲人生」才對吧？

這篇作品發表於太平洋戰爭期間，作者於同年逝世，考慮到這一點，老虎的咆哮也宛如無法朝夢想邁進的年輕人的吶喊：「不甘心啊！」不過，這篇小說在戰後被選入教科書的原因成謎。難不成是對於夢想成為藝術家的青年該認命勞動的告誡？假使如此，也並非不能說富有教育意義。

這部作品取材於中國傳奇小說《人虎傳》，為中島敦三十二歲出道之作。但《人虎傳》的情節是殺人者遭到報應，最終變成老虎，這樣理解就簡單明瞭多了。

- 中島敦（Nakajima Atsushi，一九〇九～一九四二）主要作品有《光、風、夢》（光と風と夢）、《李陵》等。出身漢學世家，祖父為漢學家、父為漢文教師。於橫濱高女執教時投入創作。曾赴任帛流南洋廳編纂國語教科書，隨後返國，年僅三十三即英年早逝。

她應該不是什麼知名詩人。

尾崎翠《第七感界徬徨》 第七官界彷徨，一九三三年

理組少女的浪漫情懷

尾崎翠的《第七感界徬徨》是一部滋味……不，氣味奇妙的小說。

「這是極遙遠的往事了。秋去春來的一段短暫期間，我身為奇妙的家庭一員度過。同時在這段時間，我似乎談了一場戀愛。」故事由此揭幕。

事實上，這個家庭真的很古怪。大哥小野一助是「分裂心理學」的專科心理醫師，二哥小野二助正在研究「苔蘚的戀愛」，表哥佐田三五郎是音樂學校的考生，然後「我」，小野町子，想要寫出「打動人類第七感的詩」。

除了人類的五感（眼、耳、鼻、舌、皮膚）以外，還有超越五感的第六感（直覺），而「第七感」似乎是幾乎要超越第六感的感官。可以發現小說中有非常多刺激五感的要素：二助在房間裡熬煮以人類糞便為原料的肥料；三五郎被一架破鋼琴整得七葷八素，這個家隨時充斥著可怕的氣味和聲響。吃進嘴裡的也是，濱納豆、酸蜜柑、吊柿、鹽水……全是味道極端的食物。

在這種五感近乎麻痺的環境裡，開頭町子談的「一場戀愛」怎麼了？的確，諸如一名叫做柳浩六的男子買圍巾送給町子等事件，讓她感受到近似戀愛的心理。但柳浩六僅對她提到一

名據說很像町子的女詩人，不久就搬去遠方了。町子「想知道柳喜歡的是哪一位女詩人」，但是……

「但是我查到的書裡面，沒有半個像是他所描述的女詩人。她應該不是什麼知名詩人。」一助、二助、三五郎……擁有這些數字的「五感之人」一家，以及為擁有數字六（第六感？）的「浩六」而失戀的町子，真是實驗性十足的理組少女浪慢情懷。

尾崎翠在三十四歲發表了這部作品，之後便回到故鄉的島嶼，直到七十四歲逝世未再登上文壇。這部作品在一九六〇年代重獲評價之前，都沉睡在肥料的氣味裡。結尾彷彿暗示作者和女主角的「後續」，讓人有點怦然心動。

在筑摩文庫版的解說中，矢川澄子認為籠罩此作的迷霧其實是情色。若將第七感界視為終極的無意識，或許真的更接近「苔蘚的戀愛」。

- 尾崎翠（Osaki Midori，一八九六～一九七一）主要作品有《來自無風帶》（無風）等。於雜誌發表愛倫坡的翻譯和電影時評等。發表《第七感界徬徨》後，其獨特且新穎的表現世界隨即獲得矚目。隔年因罹患肺炎返鄉休養。此後未再創作小說，就此辭世。

狂風仍未停歇；布滿雨珠、一片模糊的窗玻璃仍格格響個不停。

宮澤賢治〈風之又三郎〉　風の又三郎，一九三四年

強忍淚水的轉學生

「呼呼、颯颯，狂風呼嘯，／吹下青核桃，／吹下酸木梨，／呼呼、颯颯，狂風呼嘯。」——宮澤賢治〈風之又三郎〉開篇即是一首令人印象深刻的歌曲，描寫九月一日第二學期的第一天，少年高田三郎轉學到谷川之岸小學，直至離開學校十二天的時光。

宮澤賢治還有另一部早於〈風之又三郎〉的作品〈風野又三郎〉，內容描寫完全是異世界居民的風之妖精（又三郎），滔滔不絕地講述完身為風的體驗和氣象學知識後一走了之。相較於〈風之又三郎〉，高田三郎到底是傳說中的風之妖精（又三郎），或只是平凡的轉學生，書中的孩子們（還有讀者）意見分歧。

「果然是又三郎。每次他做什麼肯定會颳風。」嘉助如此主張。一郎半信半疑，否認「才不是」。嘉助天真無邪地深深感動於三郎的超人性；然而六年級的一郎卻只看到三郎的人性。

故事結尾，九月十二日一早戶外狂風暴雨，嘉助和一郎匆匆趕到學校，從老師口中得知三

郎已在昨天十一日轉學。兩人沉默對望，接著是最後一句：

「狂風仍未停歇；布滿雨珠、一片模糊的窗玻璃仍格格響個不停。」

三郎來的日子，還有離開的日子都颳著大風。但最後一幕的重點應該是雨，而不是風。三郎轉學來的九月一日也颳著大風，但晴空蔚藍，「陽光灑遍整座操場」。相較之下，十二日的教室「雨水從窗縫吹了進來，潑了一地」。三郎是都市小孩、倔強好勝，與此地格格不入，總是咬緊下脣，強忍淚水。若說天氣反映三郎的心情，那麼三郎是因為離情依依而哭泣不止嗎？

三郎於二百十日（九月一日）[5]，被視為強風的特異之日前來，等到二百二十日（九月十一日）離去。對孩子們來說，神祕的轉學生永遠是一場暴風雨。可站在三郎的角度，〈風之又三郎〉就是打不進同儕團體的孩子的故事。

〈風野又三郎〉中，最後又三郎穿著烏鴉斗篷道別說「再見了，一郎」，就此離去。一郎回道：「又三郎，再見。」以結局來說，這邊較為穩當。

5. 指從立春當日起過兩百一十天，一般來說約九月一日或二日。

● 宮澤賢治（Miyazawa Kenji，一八九六～一九三三）主要作品有《銀河鐵道之夜》、〈要求特別多的餐廳〉、詩集《春與修羅》等。任教於岩手的農校，過著農村生活同時創作詩與童話。致力幫助東北的貧農，也是一名虔誠的佛教徒。

山腳下那處小鎮荒廢消失了。

小川未明〈紅蠟燭與人魚〉

赤いろうそくと人魚，一九二一年

隱藏在虛幻童話中的力量

「人魚不只棲息在南方的大海，北方的大海也可以看到牠們的蹤跡。」這樣的開頭，將讀者一口氣吸引進入故事的世界裡。〈紅蠟燭與人魚〉是有「日本安徒生」之譽的小川未明的代表作。

棲息於北方大海的孤獨人魚，希望自己的孩子能在人類世界得到幸福，於是將剛出生的女孩拋棄在海濱小鎮。女孩被賣蠟燭的老夫婦撿回家，出落得亭亭玉立，喜好在蠟燭上畫圖。據說女孩畫上圖畫的蠟燭能保佑出海人免於海難，賣得很好。一名江湖術士聞風而來，開出高價想買下女孩，老夫婦竟財迷心竅賣掉女孩。女孩被催促離家，只留下匆匆塗成鮮紅色的蠟燭……

小川未明創作大量的童話，對戰前兒童文學留下了重大的影響。然而在戰後的兒童文學界，他卻遭到激烈的批判。理由之一是未明詩意而幻想的童話故事脫離現實；另一點應該是宿命論的陰暗氛圍吧，就像這篇故事的結尾。

某天夜晚，一名陰森的女人買走了女孩留下的紅蠟燭。從此以後，只要神社亮起紅蠟燭，大海便掀起驚濤駭浪，蠟燭因此被視為不吉利的象徵。最後一幕再次回到海邊，紅蠟燭的火光從陰暗的海邊一步步爬上神社。接著，故事唐突地迎向尾聲。

「不出幾年，山腳下那處小鎮荒廢消失了。」

人魚的怨念真是可怕！這種詛咒般的故事，確實不可能帶給孩子們希望或勇氣。因此，戰後的兒童文學是從「否定未明」起步。

但最後一行的無情發展，反倒是這篇童話的魅力結晶。安徒生《人魚公主》是愛上人類王子的人魚自我犧牲的故事；但同樣是悲劇，這裡的人魚可是毀掉了整座小鎮，其威力媲美哥吉拉。比起暗示半吊子希望的結局，予人的衝擊為要強烈許多。可不能小看人魚。乍看柔弱虛幻的人魚，她們的冷酷與強大足可媲美冬季狂暴的日本海。

小川未明那時期的童話還有一個特徵，就是全為短篇作品。戰後的兒童文學則藉由賦與兒童自我和內在，拓展了長篇的可能性。

- 小川未明（Okawa Mimei，一八八二～一九六一）主要作品有〈玫瑰與巫女〉（薔薇巫女）、〈魯鈍的貓〉（魯鈍な猫）、〈野玫瑰〉（野薔薇）等。出版日本第一部創作童話集《紅船》（赤い船）。思想歷經社會主義、無政府主義等，創作許多童話，深深影響日本兒童文學的發展。

以慵懶但執拗的口氣說：「走吧！」

吉行淳之介《砂上的植物群》　砂の上の植物群，一九六四年

當成一幅畫來讀

現代文學中，不少作品單純從劇情就讓人覺得「這什麼啊？太蠢了吧！」。吉行淳之介的《砂上的植物群》應該也屬於此類。

「鄰近港口，沿著海岸，有一座細長形的公園。一名男子坐在公園的鐵長椅上，正在看海。」

這是開頭。港口、公園、長椅、看海的男人。簡直就像劇本中的舞臺指示[6]，但請注意，這樣描寫的目的似乎是想形塑繪畫般的場景。

主角伊木一郎三十七歲，是化妝品銷售員。開頭的公園（應是橫濱的山下公園）場面之後，他登上「**最近新落成的觀光塔**」（應是一九六一年完工的橫濱海洋塔），邂逅女高中生明子，在她的邀約下（！）直接進了旅館。不過，到這裡還只是開頭。很快地，伊木和明子的姊姊京子過從甚密，曖昧的幽會一次接著一次。

一言以蔽之，這是一部摻雜蘿莉控與ＳＭ嗜好的輕情色小說。會有女人剛認識這種男人當天就想和他上床？對此感到不可思議也沒用。畢竟在這部小說中，劇情僅僅是「串場」罷了。

《砂上的植物群》這書名源於二十世紀抽象畫家保羅．克利（Paul Klee）的水彩畫《砂岸花朵》（*flora on sand*）；小說的目的是描繪出繪畫般的情景（例如抹上口紅、穿水手服的女人仰躺在榻榻米上的姿態等等）。假使從這樣的繪畫角度來鑑賞最後一幕……

「他站起來，對著雙手依然握著刀叉仰頭看著他的京子，／以慵懶但執拗的口氣說：／『走吧！』」

伊木和京子在碼頭的餐廳，接下來兩人要「走」去哪兒可想而知。但我們應該更仔細觀察，京子的手上握著刀叉，這可是不折不扣的凶器。難不成正是「吃掉男人」的工具?!也難怪男人不覺「慵懶」起來。畫面雖帶著一絲喜劇風情，但對於本人一副顛倒眾生的模樣就別太苛責了。

保羅．克利《砂岸花朵》這幅抽象畫就像一片色彩繽紛的馬賽克（？）。吉行淳之介景仰克利，另一部短篇集《夢的車輪》（夢の車輪）也是從克利的畫作得到靈感。

6. stage directions，劇本裡的敘述性文字說明，包括對人物的形象、心理變化和場景描寫等。

● 吉行淳之介（Yoshiyuki Junnosuke，一九二四～一九九四）主要作品有《驟雨》（驟雨）、《原色市街》（原色の街）、《暗室》等。考上東大英文系後中輟，而後擔任雜誌編輯、記者，持續創作，以《驟雨》得到芥川獎。作品多以性為主題，挖掘人性深處的本質。

過後餘下的僅有花瓣，以及冰冷的虛空。

坂口安吾《盛開的櫻花林下》　桜の森の満開の下，一九四七年

櫻花的寓意是戀愛、藝術或戰爭？

賞玩盛開櫻花的方法絕不限於喝酒喧鬧，請讀讀坂口安吾的《盛開的櫻花林下》吧。

住鈴鹿峠附近山上的山賊，抓了一個女人當自己的第八個妻子，可這女人美雖美，卻是個可怕的惡女。女人要山賊砍死自己以外所有的妻子，還吵著住去京城。到了京城，她要求丈夫砍來首級，供自己蒐集賞玩，駭人聽聞。然而對女人死心塌地的山賊任由妻子予取予求。

小說以寓言故事的體裁書寫，但角色的內在描寫並不充分。山地與京城之間有一片櫻花林，山賊每每經過這片櫻花林都感到莫名恐懼；對於身心日漸受女人支配也深感不安。「**盛開的櫻花林下。就像經過那底下的感覺。**」

盛開的櫻花讓人陷入瘋狂，那麼櫻花代表著什麼寓意？

首先可能是櫻花＝戀愛，也就是一部耽溺於惡女、自取滅亡的男人的故事；櫻花＝藝術的說法也難以割捨，可說是被藝術（文學）的化身懾去心神的男人的悲劇；若更穿鑿想來，還有櫻花＝戰爭或軍國主義的解釋，安吾寫了許多取材戰爭的作品。

但這部分愈是隱晦，就愈添含蓄。最後，山賊想和女人一起回到故鄉的山上，途經櫻花

林，女人露出鬼的形貌，於是山賊掐死了女人。接下來是絕美的最後一幕。

「女人的身影化為花瓣，煙消霧散。他伸出手想撥開花瓣，手和身體亦於同時間化為烏有。過後餘下的僅有花瓣，以及冰冷的虛空。」

血淋淋的殺戮盡皆歸於空無的櫻花。這就接近〈伊呂波歌〉[7]始於「花雖芬芳終須落」、終於「不戀醉夢免蹉跎」的世界。也就是一切諸行無常。梶井基次郎是「**櫻花樹下埋著屍體！**」，但安吾的櫻花連屍體都不留。這才是最強大、最可怕的櫻花。但是有點動畫感。

有一說是安吾在東京大空襲後，看見屍體堆積如山的上野公園飄起櫻花，因而構思出這部作品，但真偽不明。作家想像中的櫻花似乎是染井吉野櫻花，但同樣真偽不明。

7. 〈伊呂波歌〉為完成於平安時代的和歌，以四十七個不重複的假名構成，後世常當成習字歌。

● 坂口安吾（Sakaguchi Ango，一九〇六～一九五五）主要作品有《風博士》（風博士）、《白痴》，評論集《墮落論》等。大學主修印度哲學，畢業後於同人雜誌發表的《風博士》得到文壇肯定。與太宰治等人並稱無賴派，為活躍的大眾作家。後因腦出血猝逝。

那模樣看在薩姆沙夫妻眼中，就像是印證了他們新的夢想，與美好的意圖。

卡夫卡《變形記》*Die Verwandlung*，一九一五年

真的是「蟲子」的故事嗎？

有天早上醒來，發現自己變成了一隻蟲。即使沒有讀過法蘭茲．卡夫卡的《變形記》，很多人應該都聽過這個開頭。高橋義孝的譯文（一九五二年）是這樣的：「某天早晨，葛雷高．薩姆沙從不安的夢中醒來，發現床上的自己變成了一隻巨大的蟲子。」

身為業務員的他心想：糟了，會趕不上電車，得快點去公司才行。比起身上的異變，「現在」對他來說更重要。

主角依舊保有人類的意識，也有視覺和聽覺能力，只是身體動彈不得，也無法開口說話。家人覺得變成蟲子的他很可怕，最終任憑他乾涸至死。以情節來看不過如此，卻是一部超現實作品。人們稱作諸如存在主義文學、荒謬小說，也做出許多深奧的剖析。

但是在高齡化社會的現今閱讀這部作品，卻一點也不超現實。身體無法隨心所欲、無能為力的主角；不知該如何應付變成異物的兒子、驚慌失措的母親；朝兒子扔蘋果的父親；只負責

端餐點卻漸漸疏於照顧兄長的妹妹。主角的姿態令人聯想到繭居族少年、得憂鬱症的上班族、失能需照護無法起身的老人。小說描寫的完全是照護者與受照護者的現場。

從這個角度來看，結尾更顯得耐人尋味。葛雷高的父母和妹妹相隔數月後三人一起外出。在電車裡，父母注意到女兒已出落得如花似玉，心想「也得替她物色一個合適的對象了」。接著「電車到站了。薩姆沙小姐率先站起來，伸展她年輕煥發的手腳。那模樣看在薩姆沙夫妻眼中，就像是印證了他們新的夢想，與美好的意圖。」

在結尾伸展手腳的妹妹，和開頭在床上蠕動四肢的哥哥互為對照。葛雷高死了，一家子「擺脫麻煩」後造訪新希望。多麼黑暗的結局啊！但或許很多人也經驗過類似的解脫感……昨日的薩姆沙一家，就是今日的我們。絕不能說事不關己。

據說卡夫卡拒絕在扉頁放上昆蟲的插畫。新潮文庫版的解說（一九八五年）中，有村隆廣提及因這部作品而聯想到「拒絕上學的小孩」和「陷入神經衰弱的企業戰士」。

● 法蘭茲・卡夫卡（Franz Kafka，一八八三～一九二四）主要作品有《美國》、《審判》、《城堡》等。出身布拉格的猶太裔德語作家。任職於保險公司，餘暇時寫作，生前幾乎沒沒無聞。因罹患結核於四十歲病逝。死後遺稿發表出版，在全世界掀起旋風。

至於要如何逃脫，明天再來想就好。

安部公房《沙丘之女》　砂の女，一九六二年

男人落入昆蟲守株待兔的洞穴的故事

作品廣為翻譯到全世界、最接近諾貝爾文學獎的日本作家，現今來看是村上春樹，但是過去這位置上的作家是安部公房。

《沙丘之女》是他的代表作。「八月的某日，一名男子失蹤了。」小說如此展開。一名學校老師前往沙丘採集昆蟲，卻受困於洞穴裡。這些洞穴裡住著許多人家，居民成天忙碌於挖沙的工作。這名被囚禁在流沙地獄深處某個女人家中的男子，使盡渾身解數逃脫，甚至一度成功了，然而……

這可能讓許多人聯想到蟻獅（蟻蛉的幼蟲）的洞穴，但該聯想到的其實是日本虎甲蟲。男子為了尋找「新種的日本虎甲蟲」前往沙丘，卻意外受困坑洞。日本虎甲蟲同類的幼蟲也住在泥土裡，捕食外來的蟲子；其成蟲的習性是一面飛行、一面誘人前進，因此日語中還有個「指路蟲」的別名。也就是說，男子等同去採集日本虎甲蟲，自己卻變成了日本虎甲蟲。而「沙丘的女人」或許正是新品種的日本虎甲蟲。

男子在沙坑中窺伺著逃脫的機會，卻也日漸融入有女人陪伴的生活。接著，小說迎向意

料之外的結局。時序來到隔年春季，男子得到千載難逢的逃跑機會。繩梯掛著沒收起來。不料男子卻想「也沒必要倉皇逃走」。明明百般渴望逃出生天，卻想「至於要如何逃脫，明天再來想就好」。因為逃走前一刻，他發現自己開發的儲水裝置破損了。拜託，那種東西就丟下別管了吧！

最後，小說附上家事法院的兩份文件（〈聲請失蹤人公示催告〉與告知「宣告仁木順平為失蹤人」的判決書）告終。他真的想留在沙坑裡嗎？或是失去了逃亡的力氣？這樣的結局彷彿暗示著「或許你也身在沙坑之中」。這沙坑是家庭、公司，還是社會？對你而言，日本虎甲蟲又是什麼呢？

這部作品已經翻譯成二十多國語言，躋身世界文學之列。安部公房親自撰寫腳本的電影（勅使河原宏導演）也引發話題，得到坎城影展評審團獎等諸多獎項。

- 安部公房（Abe Kobo，一九二四～一九九三）主要作品有《壁》（壁）、《箱男》（箱男）、戲劇《綠色絲襪》（緑色のストッキング）等。東京帝國大學（現為東京大學）醫學系畢業後成為作家。《沙丘之女》在法國得到最佳外語文學獎，在海外也備受讚譽。曾成立劇團，亦熱衷於戲劇。

乘著纜車上山來，景觀應該很不錯。因為這裡在地圖上的標高似乎也很高。

森敦《月山》　月山，一九七四年

逐漸被近代侵蝕的靈山

在文學迷的眼中，以夏季滑雪勝地聞名的月山，就是森敦的《月山》。

「我在庄野平原輾轉遷徙許久，但直到深入其內裡的肘折的溪谷前，仍不知月山為何被稱做『月之山』。」以此揭幕的小說，從天空俯視羽三山宏大的場景伊始，漸漸提高地圖比例尺，焦點定在湯殿山注連寺這間寺院。接下來透過芒草、紅葉、凍菊等描寫，季節一口氣從秋季跨入冬季。

敘事者「我」在這座受大雪封閉的山寺度過冬天。作品中被稱為「寺院爺爺」的住持素來不苟言笑，村人們也散發世外異人的氛圍，告訴主角一些真偽難辨的事。山形縣庄內地方保留許多具即身佛，他們宣稱這座寺院的木乃伊是以路倒雪地凍死的人所「製成」。

「挖掉裡頭的腸子再拿去燻，對吧，老太婆？」

「是啊，寶身是寺院最重要的生財工具。」

喂、喂喂喂，這太可怕了吧！總而言之，酷寒的冬季過去，燕子紛飛，櫻桃樹枝頭染上紅色，很快地，山區從春季轉向新綠季節。然後「我」決定和上山尋找自己、宛如俗世代表的友人一同返回下界。

最後「我」和友人在「寺院爺爺」送別下，站上能俯視村子的地點。「往後應該不會再來了，好好看上最後一眼吧。」「爺爺」這麼說，友人卻不理會，逕自說：「我們差不多要告辭了。十王峠的架空電纜的電線桿好像就在那一頭，乘著纜車上山來，景觀應該很不錯。因為這裡在地圖上的標高似乎也很高。」

架空電纜、電線桿、地圖、標高？疑似身兼實業家及政治家的朋友打算在山上蓋空中纜車，打造成渡假村。如此潑冷水般的閉幕正是《月山》的企圖所在：逐漸被近代侵蝕的靈山。最後短短數行鮮明刻畫出這個事實。

作品中的寺院是真實存在的湯殿山注連寺（山形縣鶴岡寺）。這是森敦六十一歲時的芥川獎得獎作。不過作者住宿寺院已是一九五一年的事，也就是花了二十多年的光陰，才將體驗轉化為作品。

● 森敦（Mori Atsushi，一九一二～一九八九）主要作品有《鳥海山》、（鳥海山）《我如逝者》（われ逝くもののごとく）等。師事橫光利一，與太宰治、檀一雄等人創刊同人雜誌《青花》（青い花）。六十一歲時以《月山》得到芥川獎；在二〇一三年黑田夏子於七十五歲得獎前，是該獎的最高齡得獎人。

願上帝保佑我們每個人！

狄更斯《小氣財神》 *A Christmas Carol*，一八四三年

鬼魂下藥過猛？

聖誕夜當晚，早在七年前過世的事業夥伴馬里的亡魂現身於小氣、貪婪且冷酷的史古基面前。狄更斯《小氣財神》開篇第一句就是「**首先我要說，馬里已經死了**」。是以如此不祥的句子展開、宛如鬼故事般的作品。

接下來的發展相當知名，應該許多人都還記得。

如同馬里的預言，當晚三個精靈現身史古基面前，讓他看到了自己的過去、現在和未來。史古基對於無人哀悼自己的孤獨死（未來）大受震撼，但讓他印象更深刻的卻是「現在」。

史古基看見自己以低廉薪水僱用的鮑伯家。鮑伯一家正圍繞餐桌慶祝聖誕節。史古基指著不良於行的小提姆問：「那孩子能活下來嗎？」「他會死掉。」精靈說：「比起痛苦地活著，不如死了倒好。那樣一來就少一張吃飯的嘴巴。」這正是白天史古基說過的話；史古基接著看到貧窮孩童的幻影，又問道：「難道沒有地方讓他們避難、保護他們嗎？」「不是有監獄嗎？」「不是有救濟院嗎？」這也是史古基說過的話。

《小氣財神》看似是宣揚基督教的博愛精神，但重讀之後發現，這篇小說的宗教色彩意外

地淡薄。儘管歷經產業革命，十九世界的英國國內貧富差距依舊相當懸殊。小氣而冷酷的史古基，也可以視為當時充斥拜金主義氛圍的英國化身。

之後史古基洗心革面，決心做好人，主動開口為鮑伯加薪，並且盡心盡力幫助小提姆，人們甚至讚揚「若說有誰知道如何慶祝聖誕節，那就是他」。簡直像是聖誕老人的誕生祕辛。

「願上帝保佑我們每個人！」史古基簡直歡天喜地過了頭。而這樣的變化似乎也稍嫌過了頭……是個教人略感傻眼的結局。

狄更斯出版這本書之後，接下來連續五年，每年都會出版一部聖誕節的故事。也就是作家本身成了聖誕老人。

● 查爾斯・狄更斯（Charles John Huffam Dickens，一八一二～一八七〇）主要作品有《孤雛淚》、《雙城記》、《遠大前程》等。英國作家。出身貧窮，幼年即外出工作賺錢，同時憑靠自學著手創作。此後寫出許多名作，成為國民作家。

〈老人〉彷彿融入身後的黑暗，就此消失不見。

江戶川亂步〈和貼畫旅行的人〉押絵と旅する男，一九二九年

一切只是海市蜃樓嗎？

諸如〈鏡子地獄〉、〈人間椅子〉等等，江戶川亂步的短篇中許多機關都極盡誇張，連馬戲團特技表演者都自嘆弗如。〈和貼畫旅行的人〉也是這樣的作品。

故事從富山縣的魚津起頭，在富山灣看了海市蜃樓的「我」，在返回上野的火車裡，和一名看起來年紀約莫四十、也像六十歲的老者比鄰而坐。老人從包袱裡取出一個像畫框的物體，靠放在窗邊。畫框裡，是一名老人和姑娘相依相偎的貼畫。老人將望遠鏡交給「我」，要「我」拿它來看貼畫，並說：「他們是活的，對吧？」就這樣，神祕老人揭露貼畫中的男子是他的兄長，並自述身世。

故事結構十分巧妙。老人的哥哥在淺草愛上了「窺孔畫」裡的角色菜攤阿七；老人講述哥哥進入「窺孔畫」裡的經緯；然後「我」在火車上聆聽老人的追憶。故事呈現雙重、三重的套疊結構，這本身就宛如「窺孔畫」。亦即，讀者和「我」一同被吸進了「窺孔畫」的世界。

這樣的故事，必須將讀者帶出「窺孔畫」才能結束。述說完畢的老人在山間一座小車站下了火車。「我從窗戶望出去，老人細長的背影（與貼畫中的老人是多麼地維妙維肖啊！）在簡

陋的柵欄處將車票遞給站員後，彷彿融入身後的黑暗，就此消失不見。」

老人如同幽靈般融入了黑暗。乍看之下，這是很稱職的結尾。

然而總教人無法釋然。這篇小說從富山灣的海市蜃樓寫起，而且開頭是「如果這不是我的夢，或是我一時失常而產生的幻覺，那麼和貼畫旅行的男子無疑是個狂人。」文本打從一開始就提出「搞不好這一切都只是腦中幻想出來的海市蜃樓喔」的疑問。

主角不是「貼畫裡的男子」而是「和貼畫旅行的人」。老人消失在黑暗之後，仍繼續著返回東京旅程的「我」尚未從夢中醒來。既然如此，讀者也還沒完全從夢中清醒。

所謂貼畫是一種工藝品，就像年節飾品「羽子板」上的裝飾，是以填入棉花的布料製造出立體感。作品中也有「十二階（淺草真實存在過的『凌雲閣』）」登場，在傳達當時淺草氛圍的小說中亦享有盛名。

- 江戶川亂步（Edogawa Ranpo，一八九四～一九六五）主要作品有〈人間椅子〉、〈紅色房間〉、《陰獸》等。曾任職貿易公司，做過新聞記者等十餘份工作，後於文壇出道。為偵探作家俱樂部初代會長、雜誌《寶石》編輯等，對日本推理小說的發展有莫大的貢獻。

（騎士小說）無疑很快就會澈底滅亡。再見。

塞萬提斯《唐吉訶德》*Don Quijote de la Mancha*，一六一五年

其實是嘲弄騎士小說的文學作品

主角應是全世界無人不知、無人不曉的角色，卻幾乎沒有人讀過原著，那就是塞萬提斯的《唐吉訶德》。即使一時想不開拿起原著，還沒打開第一頁可能就先舉手投降了。這部鉅作前後篇加起來，岩波文庫共六冊，筑摩文庫共四冊。我們會想「下次再來挑戰好了」，而這個「下次」永遠不會到來。

《唐吉訶德》是一部被譽為「現代小說之祖」的作品。原以為是描述腦袋有問題的騎士的故事，誰知主角竟是個讀太多騎士小說、妄想自己是騎士的五旬大叔阿薩索．吉哈諾。大叔披上鎧甲，自稱唐．吉訶德．德．拉．曼查，對農夫桑丘．潘薩巧言稱「讓你成為一島領主」，僱來當自己的侍從，跨上一匹瘦馬即上路旅行。

迷上武打電影、自以為武士的男人，剃髮綁髻後搭上電車；電視劇看太多、自詡英雄戰隊的男人，穿上戰隊變身服去公司上班。就類似這樣的感覺。這部作品出版時的西班牙，老早沒有穿鎧甲的騎士了。此作可說是騎士小說的諧謔，也可說是後設小說（關於小說的小說）。

而且這可不是一般的諧謔。吉哈諾在《唐吉訶德》裡展現各種天兵耍寶，不期然成為人氣王。晚於前篇十年發表的後編中，甚至有自稱讀過前篇的讀者登場，耍弄吉哈諾，惹得他不開心。

塞萬提斯原本的目的是要打倒騎士小說。前篇大受好評，應該讓作家困惑不已。後來吉哈諾恢復理智，過世之後，接著是架空的作者在文本中登場，述說著：「我的羽毛筆啊！」並稱願望是讓人們鄙棄騎士小說斑駁陸離的故事，別將它從墓穴裡再召喚回來了。如此一來，騎士小說「無疑很快就會澈底滅亡。再見。」。

這句「再見」不是對讀者說，而是向羽毛筆的訣別之詞。從頭到尾，都是一部耍人的小說。

唐吉訶德衝向風車的形象主要歸功於插畫。譯者牛島信明表示，這部小說的現代性在於它需要現代讀者來閱讀。

● 米格爾・德・塞萬提斯（Miguel de Cervantes Saavedra，一五四七～一六一六）主要作品有《模範小說集》（*Novelas ejemplares*）、《貝爾西雷斯和西希斯蒙達歷險記》（*Los trabajos de Persiles y Sigismunda*）。出身貧窮的外科醫師家庭，成長過程中幾乎未接受過正規學校教育。因流浪和入獄等終生社會地位不穩，依舊精力旺盛地持續寫作。

但是，船救起了另一個陌生的孤兒。

梅爾維爾《白鯨記》*Moby-Dick; or, The Whale*，一八五一年

為何滔滔不絕一堆鯨魚學？

「你讀過《白鯨記》嗎？」聽到這個問題，每個人都會回答：「當然讀過！」但假使只記得是「和巨大的白鯨搏鬥，失去一條腿的亞哈船長立誓復仇的海洋冒險故事」，那你看到的不是葛雷哥萊·畢克[8]主演的電影（一九五六年），就是只讀了給孩子的精簡版本。

高高在上地說了這些，但其實我也是。直到千石英世的新譯版（二〇〇〇年）出版時，我才頭一次讀完上下兩集，並深以過去的糊塗為恥。

《白鯨記》這部小說，與沒讀過原著的人所想像的大異其趣。

一連串鯨魚的語源和名文抄錄之後，故事從一句「叫我以實瑪利」（Call me Ishmael.）展開。然而，序幕根本像一部敘事者以實瑪利與船員夥伴魁魁格的戀愛小說。捕鯨船裴廓德號出海後，穿插在它航跡之間的是歷史、哲學、科學、藝術……還有鯨魚和捕鯨等各種淵博知識。

至於船長亞哈與白鯨莫比·迪克狹路重逢，展開生死決鬥，其實不過只占小說最後一部分。而且裴廓德號沉沒，船員全數葬身海底。

漂流了兩天以後，以實瑪利被另一艘船救了起來。過去這艘船的船長兒子遇難時，亞哈拒絕救助。**「船在海上四處徬徨，尋找失去的孩子們，正在折返的路上。但是，船救起了另一個陌生的孤兒。」**

以實瑪利獨自倖免於難，成為宛如孤兒般的存在。然後故事回到開頭，他以敘事者的身分現身說法：「Call me Ishmael.」。

為何《白鯨記》會對鯨魚異常關心？我們可以從結尾推測。失去摯友（情人？）魁魁格是否成了「孤兒」的傷痛，讓以實瑪利一頭栽進鯨魚學？理由是鯨魚直接連結到摯友（情人？）的回憶。如此一想，連乍看之下枯燥無味的鯨魚學段落，也讓人備感揪心。我想推舉本書為同志文學的傑作。

船名裴廓德號來自於遭到白人屠殺的美國原住民部落名。白色巨鯨利維坦讓人聯想到巨大的白人國度美國。包括政治意涵在內，是一部非常奇妙的長篇小說。

8. Gregory Peck，以《梅崗城故事》榮獲奧斯卡影帝，留下包括《羅馬假期》等名作。當年四十歲的畢克飾演近六十歲的獨腳老船長，人鯨對決緊湊震撼。

● 赫爾曼・梅爾維爾（Herman Melville，一八一九～一八九一）主要作品有《廣場故事集》（*The Piazza Tales*）、《水手比利・巴德》等。美國作家。曾經登上捕鯨船，後來立志寫作。生前作品並未受到評價，後世譽為美國文學代表作家。

好嘍，來去看看新來的地靈們哭喪的嘴臉吧！

井上廈《吉里吉里人》　吉里吉里人，一九八一年

誰拯救了不可收拾的故事？

東北的小村莊宣布從日本獨立。井上廈《吉里吉里人》出版的時間在一九八〇年代初期，當時正值第二次石油危機。

搭乘前往青森急行列車的小說家古橋健二，在列車裡被捲入了這場獨立騷動，成為吉里吉里國的第一號移民，隔天被推舉為總統。憲法討論、糧食自給、醫療問題等等，這部小說處理了包羅萬象的主題。尤其在目前這個時間點，讓人不禁讚嘆的是吉里吉里國的能源政策。

「一旦獨立，可想而知你們日本國肯定會命令東北電力切斷電力供應。但我們有國立地熱發電所，用電全部免費！」

共通語言是東北話；以大量埋藏金[9]支撐的金本位制[10]；改造木炭動力巴士而成的國會議事堂車。光看情節設定是一部相當有趣的小說。然而《吉里吉里人》是一部悲劇。吉里吉里國遭到欲阻止獨立的日本國等全世界大國武力威脅，儘管欲以醫學立國，卻踏進大腦移植手術這般禁忌的領域，將古橋的大腦移植到金髮美女的肉體（喂喂喂）。失控至此的故事要如何善了？

包括古橋在內，總統就職典禮上不小心說溜國家機密的吉里吉里人遭敵人的子彈擊斃，留

下的只剩自稱「記錄人員」、成了鬼魂的敘事者。

「我是第一代吉里吉里善兵衛。」如此自報家門後，鬼魂為古橋口風不牢導致計畫功虧一簣嘆息不已；接著他說，也罷，既已「等了三百年之久」。「管它一百年還是兩百年，我都要以地靈的身分停佇此地，直到農民迎來黎明為止。好嘍，來去看看新來的地靈們哭喪的嘴臉吧！」

無可救藥的結局，被善兵衛輕快的口吻稍微救了回來，但說出這些話的可是鬼魂。吉里吉里善兵衛存在真實原型人物，也就是據說於德川時代，在奧州吉里吉里（現岩手縣大槌町）開展出一番事業的歷代前川善兵衛。拯救即將分崩離析故事的竟是實際存在的歷史人物，到底是教人感嘆，還是鬆一口氣？

受本書影響，全國各地「獨立國」如雨後春筍，但也成了過眼雲煙。村雲司的《阿武隈共和國獨立宣言》繼承本作精神，描述福島第一核電廠事故受災者創建獨立國的故事。

9. 從明治政府派軍隊尋找幕府可能藏起的大批財寶，到現代傳言來自終戰時藏匿的貴金屬軍需物資、後由政府管理的巨量特別會計資金，「埋藏金」可說是近代日本流傳最廣的都市傳說。

10. 十九世紀中期盛行的一種貴金屬貨幣制度。

● 井上廈（Inoue Hisashi，一九三四～二〇一〇）主要作品有《上海月亮》（シャンハイムーン）、戲劇《打鼓吹笛》（太鼓をたたいて笛をふいて）等。讀大學時便撰寫廣播劇本，共筆的 NHK 人偶劇《突然出現的葫蘆島》（ひょっこりひょうたん島）節目大受歡迎。身為劇作家也十分活躍。

但牠們已經完全無法分辨誰是豬、誰是人了。

喬治．歐威爾《動物農莊》*Animal Farm*，一九四五年

受支配者的奴相令人恐懼

喬治．歐威爾的《動物農莊》是批判舊蘇聯史達林主義的寓言故事，被稱為二十世紀的伊索寓言。

「這天晚上，莊園農場的瓊斯先生鎖上雞棚，但因為喝得爛醉，忘了關上裡面的小門。」動物們趁此機會發動革命。受虐待的動物們成功地將人類驅逐出農場，奪得親手經營農場的權力。農場改名為「動物農莊」，理應朝著理想的未來邁出腳步才對。

然而兩隻豬領導者，雪球和拿破崙路線對立，展開權力鬥爭，敗下陣來的雪球遭到放逐。此後狀況日益惡化，拿破崙成了獨裁者。

豬變成（官僚似的）特權階級，狗則成為豬的手下（類似警察）；牛、馬、綿羊、山羊、雞，還有各種低等動物和鳥（令人聯想到勞工）這些底層的動物被迫在獨裁者腳下像奴隸一樣幹活，漸漸習以為常。

書中影射的當然不只是舊蘇聯。

最後一幕尤其予人兔死狐悲之感。不知不覺中，革命的理念被改寫了，豬居然和牠們曾驅

逐的人類一起玩牌！「屋外的動物們從豬看到人，再從人看到豬，又再次從豬看到人。但牠們已經完全無法分辨誰是豬、誰是人了。」

「完全無法分辨誰是誰了」。曾經為新總統誕生而狂熱的大國，以及政權輪替後重回獨裁的極東島國，也是這個模樣。

這部作品另一個警世之處，在於發電用的風車被視為掌握人心的工具。動物們拚死拚活建設出風車，然而風車完成了，幸福仍遙不可及。相信只要完成風車就能得到幸福的動物們，究竟是可悲，還是愚蠢？支配者固然狡猾，但受支配者的奴相也真實到教人毛骨悚然。

再也沒有比這部文本更適合借喻思考現代國家與政治的作品了。《動物農莊》也被稱為「反烏托邦小說」。作品中的風車幾乎如同現代的核電廠。

● 喬治・歐威爾（George Orwell，一九〇三～一九五〇）主要作品為《緬甸歲月》、《一九八四》等。英國作家。生於英國殖民時期的印度，返回英國後以報導文學和小說獲得世人肯定。曾擔任記者，亦為知名社會評論家。

5

兒童的時間

學習、玩耍、勞動。
每個人都在踐踏中日漸茁壯。

”
也是洪作年紀夠大了，能將寂寥的音樂就當成寂寥的音樂聆聽。
——井上靖《雪蟲》

然而我卻遍尋不著，捧著它如大理石般的白皙玉手。

有島武郎〈一串葡萄〉一房の葡萄，一九二一年

偷了顏料的「我」和老師

〈一串葡萄〉是有島武郎刊載於雜誌《赤鳥》（赤い鳥）上的兒童文學作品。

故事從「**小時候我喜歡畫圖**」一文開展。「我」想要繪出每天上學路上的橫濱海岸風光，但手上的顏料沒辦法表現出「**大海通透的藍，和白色帆船貼近水面的洋紅**」。

就在這時，一名較年長的男孩吉姆書桌裡的藍色和洋紅色顏料被偷了。「我」遭到同學圍剿，哭了起來。女導師安慰著：「老師知道了，別哭了，好嗎？」接著從二樓窗戶摘了一串西洋葡萄，放到「我」的大腿上。隔天，老師將一串葡萄分成兩半，給了「我」和吉姆，做為和好的證明。

「**每逢秋季，成串的葡萄總是會染上紫色，灑上粉霜，美麗極了。然而我卻遍尋不著，捧著它如大理石般的白皙玉手。**」

小說以那雙手的形象閉幕。

雖是一篇也能以道德教育的角度閱讀的作品，但令人印象更深刻的卻是它豐富的色彩。藍色與洋紅色，兩個顏色融合而成的紫色葡萄，以及捧著它的老師白皙的手。

小時候我糊里糊塗就忽略了，但擁有「大理石般的白皙玉手」的老師是西方人。倘若同學也是西方人，教室裡的對話想必是英語。那麼小時候「身心孱弱」、「沒什麼朋友」的「我」，在班上反而成了少數族群。如此想來，不管是主角的孤獨，或如老師所說「希望你們從今以後變成好朋友」的話，也摻雜了人種、國籍與文化等複雜的色彩在裡頭。

老師以葡萄作戰教導學生寬恕的重要性。但「我」並沒有好好地向吉姆道歉，這一點令人在意。「從此以後，我變得比以前更加乖巧，也不再那麼內向靦腆了。」主角就罷了，被一串葡萄糊弄過去的吉姆，真的心服口服嗎？只想到老師的手，或許是想忘掉吉姆的心虛作祟。

據說這部作品是痛失妻子的作者為了鼓勵三個孩子，以兒時在橫濱的學校與外國人共學的經驗寫成的作品。如此一想，最後一句彷彿也是悲痛的吶喊。

● 有島武郎（Arishima Takeo，一八七八～一九二三）主要作品有《該隱的末裔》（カインの末裔）、《一個女人》（或る女）、評論《為了愛情不惜一切》（惜みなく愛は奪ふ）等。弟弟為畫家有島生馬、小說家里見弴。曾留學美國哈佛大學。於輕井澤的別墅和《婦人公論》記者波多野秋子殉情。

大板車再次笨拙地歌唱起來。

灰谷健次郎《兔之眼》　兎の眼，一九七四年

家長和教師攜手合作的社會派兒童文學

年輕時，應該不少人為這部作品所打動。

灰谷健次郎《兔之眼》與石坂洋次郎《藍色山脈》（青い山脈）及壺井榮《二十四隻瞳》一脈相承，以新來的女老師為主角的兒童文學作品。

舞臺是H（阪神？）工業地帶的某個小鎮。小學旁邊有一座垃圾處理場（垃圾焚化場），學校裡也有任職處理場的非正規勞工家庭的小孩就讀。初出茅廬的小谷老師來到這所學校任教，歷經煩惱，透過與孩子們和當地居民的往來逐漸成長。

「**鐵三的事要從蒼蠅說起。**」一如同這樣的開頭，小谷老師和一名處理場的孩子，對蒼蠅如數家珍的鐵三之間的心靈交流，是這部小說的重心所在。

與此同時，《兔之眼》也是兒童文學界的無產階級文學。後半段揭露處理場的遷移問題，非正規勞工挺身出面提出正式僱用，以及興建住宅等要求，劇情頓時變得宛如社會派電視劇。儘管社會背景不同，仍有許多賺人熱淚之處。比起孩子，這正是這部小說更受大人歡迎的原因？

但結局實在美中不足。最後一幕，費盡千辛萬苦，成功得到親師會連署後，處理場的大人

小孩以及熱心教師們，意氣風發地前往和公所談判。「『出發！』／功大聲喊道。大板車動了起來。」

「出發——多麼悅耳的詞彙啊！小谷老師緊緊捏著鐵三的手，百感交集地想。／大板車再次笨拙地歌唱起來。」

大板車歌唱似地轔轔作響，後面跟著小谷老師和孩子們，以及在處理場工作的大人們。但坐在大板車上的卻是同僚足立老師。綽號「流氓老師」的足立老師，經過長達三天的絕食抗議後變得渾身虛軟……

但就算再怎麼虛弱，一個既非病人也非老人的大男人坐在大板車上讓人拉行，這畫面實在令人搖頭。這樣的場景反而讓足立老師宛如凱旋的英雄，要不就是轎上的主公大人。可明明還有那麼多可以歸功的角色呢。

《兔之眼》的足立老師讓人聯想到《藍色山脈》的校醫沼田老師。個性有點差，但思想進步。我就不說作者是將自己投射在上頭了，但太搶鋒頭了反而有點怪。

● 灰谷健次郎（Haitani Kenjiro，一九三四～二〇〇六）主要作品有《太陽之子》（太陽の子）、《天之瞳》（天の瞳）等。經歷兄長自殺和母親過世，辭去長年的教職後流浪沖繩及亞洲各地。後來寫出《兔之眼》大為暢銷，成為活躍的兒童文學作家。

他一回到房間，沒換下睡衣便衝了出去。

山本有三《路旁之石》　路傍の石，一九四〇年

再怎麼窮困都要努力向學

山本有三的《路旁之石》在某一時期是極受歡迎的少年文學作品，卻也是飽受時代玩弄的不幸之作。戰前受軍部打壓，戰後則在占領軍的壓力下未能完結。

主角愛川吾一出身窮苦人家，母親過世後放棄升中學，在和服店當學徒。但他拋不下升學的夢想，逃離東家，前往東京。白天他是撿字工人（在印刷工廠撿鉛字的工作）見習生，晚上去夜校上課，承受著種種苦難，逐漸成長。

最有名的應該是他吊在鐵橋枕木上，以證明自身勇氣的場景吧！記得以前看改編電影時，火車停止前的幾秒鐘看得我捏了一把冷汗。

但如今重讀，有趣的反倒是吾一身邊大人們的雄辯滔滔。出身自由民權運動，淨耍嘴皮子卻毫無生活能力、粗暴蠻橫的父親；立志成為文學家的小學導師次野老師；同為撿字工人的社會主義者得次。他們每一個都有自己一套人生觀和國家論，說得口若懸河、頭頭是道。

不難想像，就是國家論的部分遭到當局檢閱。因此《路旁之石》出現了三種收尾：

（A）吾一和次野老師重逢，老師鼓勵他「要活得不愧對你吾一之名」，吾一說「好的，

我會」，在這裡結束的戰後版（鱒書房，一九四七年）。《路旁之石》會予人強烈的少年文學印象，應該就是受到這一版影響。

（B）吾一上班的印刷工廠附近發生火災，以「**他一回到房間，沒換下睡衣便衝了出去**」告終的戰前版。現在山本全集和文庫版都是這個結尾，可實在是太沒頭沒尾了。但不必擔心，新潮文庫版加上了附錄。

（C）以創刊雜誌《成功之友》為目標的吾一，聽見「**俄羅斯麵包小販的叫賣聲已經在馬路上響起了**」，在這裡結束的首次面世版（《朝日新聞》）。

本作品在戰後多次改編成電影，應該是因為吾一不畏苦難、發奮求學的模樣，完全投合成年人的喜好。從（C）的結尾，也能窺見吾一長成二十多歲青年時片鱗半爪的企圖心。倘若作者繼續寫下去，或許會成為一部波瀾壯闊的成長小說。

舞臺據説是作者的故鄉栃木縣栃木市，該市還建起《路旁之石》的文學碑，並於每年舉辦以中、小學生為對象的「路旁之石作品大賽」（感想文和感想畫）。

● 山本有三（Yamamoto Yuzo，一八八七～一九七四）主要作品有《波》、《風》、《真實一路》等。亦為中堅劇作家，畢生旺盛地從事寫作。受軍國主義打壓，《女人的一生》（女の一生）、《路旁之石》被迫停止連載。戰後當選參議院議員，活躍於政壇。

但是，他父親差不多也要嘮叨起他畫畫這件事了。

志賀直哉〈清兵衛與葫蘆〉 清兵衛と瓢箪，一九一三年

迷上老頭嗜好的十二歲少年

志賀直哉留下許多以兒童為主角的短篇小說，其中〈清兵衛與葫蘆〉和〈小僧之神〉（小僧の神様）都是廣為人知的作品。

清兵衛算是我們現代人口中的「XX迷」或「XX痴」。

他痴迷於葫蘆，收藏了約莫十只，對葫蘆極度迷戀，每天還拿父親喝剩的酒來保養葫蘆。最後，他帶著花了十錢得來的心愛葫蘆到學校，在修身課[1]時藏在課桌底下擦拭，惹來老師一頓責罵。

「將來不可能有出息。」

才十二歲的清兵衛沉迷於蒐藏葫蘆這般大叔氣十足的嗜好，這樣的反差是這篇小說的趣味之處。而且他的眼光非常好，被老師沒收的葫蘆後來以五十圓賣給古董店，後來甚至漲到六百圓。但非凡的愛好家往往是孤獨的。父親是那種會稱讚所謂「馬琴[2]的葫蘆」名品的俗人，一得知兒子挨老師的罵，便掄起大鐵錘，將清兵衛的葫蘆全打碎了。

有人從這一段看到直哉與不認同他的父親之間的對立，但這種讀法太無趣了；「必須讓孩

子的個性自由發展」的戰後民主主義式詮釋也很無趣。更應該注意的是結尾，被父親打碎心愛葫蘆的清兵衛，對葫蘆的狂熱立時灰飛煙滅，繼而迷上繪畫。但敘事者此時丟出絕妙的一句：

「但是，他父親差不多也要嘮叨起他畫畫這件事了。」

全數否定並試圖撲滅孩子興趣的父親，從現代的價值觀來看，應該是極不理想的父親。但身為父親，總是寧可強勢反對孩子的行為。孩子就是要挺身對抗父母，才會成長。父母要是凡事支持，孩子對抗起來也沒什麼勁吧？

從這個意義來看，清兵衛的父親完全是舊時代的父親，但清兵衛亦不遑多讓。乾脆地拋開葫蘆的他，不勞父親擔心，應該很快也會拋棄畫圖吧。孩子總是三分鐘熱度，又會再迷上別的興趣。狂熱體質可是一輩子改不了的。

小說的舞臺是廣島縣尾道市。尾道的「志賀直哉故居」擺放著數只繪上圖畫的葫蘆，其中一只上頭還有〈清兵衛與葫蘆〉內文，不知是否算得上古董。

1. 日本戰前的小學課程，內容是教授良好帝國子民應有的價值觀與行動，亦有灌輸抗衡他國意識形態的意圖。
2. 指江戶時代後期劇作家曲亭馬琴。

- 志賀直哉（Shiga Naoya，一八八三～一九七一）主要作品有《暗夜行路》、《和解》等。與父親的對立及和解構成其主要作品的主題。廣受佐藤春夫、菊池寬、芥川龍之介等同時代作家崇敬，寫下許多志賀直哉論。被譽為「小說之神」。

（將水蜜桃）貼到唇上，嗅聞那滲出細緻外皮的甜香，再次潸然落淚。

中勘助《銀湯匙》　銀の匙，一九二一年

愛哭鬼少年甜蜜而揪心的回憶

「我的書房裡有個書箱抽屜，裡頭裝了各式雜物，還有多年前收藏的一只小匣子。」這是中勘助《銀湯匙》的開頭。

這是作者回想孩提時代的自傳作品，由前篇與後篇構成，前篇是幼年至小學時代，後篇是高等小學至中學時代。

由於母親體弱多病，「我」由阿姨帶大，阿姨總是拿著一只銀湯匙為孱弱的「我」餵藥（從描寫的內容來看似乎是過敏性皮膚炎）。那只銀湯匙存放在小匣子裡，這也是書名銀湯匙的由來。他生長於東京神田正中央一帶，迥異於當地豪爽的風氣，「我」生性怯懦，是個愛哭鬼、膽小鬼。《銀湯匙》就是輕柔撫慰那「弱不禁風」、「哭哭啼啼」的少年時代的作品。

結尾也清楚地表現了那樣的感覺。十七歲的夏天，「我」在朋友的別墅遇到了朋友美麗的姊姊。但她只留下一句「再見」，放下水蜜桃，便離開了別墅。而「我」採取了這樣的行動⋯⋯

「我懶懶地將兩側手肘撐在桌面，雙掌輕輕裹住那如臉頰般泛紅、如下巴般豐腴且凹凸有緻的水蜜桃，貼到唇上，嗅聞那滲出細緻外皮的甜香，再次潸然落淚。」

簡而言之，就是失戀了。但這段描寫未免太冶豔了！在這之前，《銀湯匙》也描寫了「我」和多名女子甜蜜而揪心的離別。第一個朋友阿國、一起上學的阿蕙，還有因眼疾和耳疾衰弱而死的阿姨。

這本書在一九八七年突然備受矚目。岩波文庫為了紀念創刊六十週年，向各領域知識分子進行「岩波文庫，我的三本作品」問卷調查，得到最高票數的就是這本《銀湯匙》。這本書就像是每個人「收藏於心中的小匣子」裡的那本書。畢竟最後可是撫摸著水蜜桃哭泣呢！我得提醒讀者，這其實是一本頗為淫靡的作品。

在夏目漱石的推薦下，這本小說在《朝日新聞》開啟連載。中勘助是個女人緣極佳的風流男子，但不管怎麼看都是個蘿莉控加上被虐狂。詳情請看富岡多惠子[3]的《中勘助之戀》（中勘助の恋，平凡社圖書）。

● 中勘助（Naka Kansuke，一八八五～一九六五）主要作品有《提婆達多》、《犬》、《鳥的故事》（鳥の物語）等。曾於舊制一高及東大時期師事夏目漱石。之後父親逝世、兄長生病，為了撐起困頓的家計著手創作。在漱石的推薦下於《朝日新聞》連載《銀湯匙》。與文壇保持一定的距離。

3. 出身大阪的詩人、小說家、評論家，作品與獲獎無數，一九九四年以《中勘助之戀》獲得讀賣文學獎。

「這點獎勵，也算是我應得的吧。」

凱斯特納《我和我的好朋友》*Pünktchen und Anton*，一九三一年

將柏林一分為二的橋上

《小偵探愛彌兒》、《飛行教室》（*Das fliegende Klassenzimmer*）、《天生一對》等由岩波書店出版、高橋健二翻譯，廣受日本兒童喜愛的凱斯特納作品，而今在池田香代子的全新譯筆下脱胎換骨。

《我和我的好朋友》也是其中之一。

我——小不點露易絲．博格是富商的女兒。她母親將女兒丟給保母看顧，成天外出看戲、參加派對，樂不思蜀。小不點瞞著父母，偷偷和保母安妲哈特溜出家裡，在魏登達默橋上賣火柴。

另一方面，安東．賈斯特和生病的母親相依為命，總是一個人煮飯、記帳，晚上為了賺取生活費，同樣在魏登達默橋上賣鞋帶。

舞臺設定非常出色：將柏林市街分隔為富裕與貧窮兩個地區的河流、在橫跨兩個地區的橋上叫賣的少年和少女，以及讓毫無交集的兩人邂逅的那座橋。

除了描寫境遇有如天壤之別的兩人之間的友情，作者同時將這兩個家庭視為「案件」來追

蹤；我小時候讀這本書完全沒發現。被保母強迫叫賣的少女，以及出身貧窮隱瞞母親叫賣的少年，這是個虐待兒童的故事。

結尾是所有風波過去之後，小不點向救助了安東母子的父親博格先生遞出菸捲和火柴，說：「來，這是獎勵。」

「父親點燃菸捲，吐出第一口菸，津津有味地吁了一聲後說：／「這點獎勵，也算是我應得的吧。」」

火柴這個故事小道具就此由黑（販賣的商品）翻紅（給父親的獎勵）。既然兩個孩子同樣受大人擺布，最後大人有必要得到原諒。

這本書在各章結尾附上作者的解說單元「停下腳步想一想」。標題為〈關於皆大歡喜結局〉的解說末尾這麼寫著：「**我們居住的這片大地一定能夠再次成為天堂。沒有我們辦不到的事。**」這是一本寫給孩子的聲援之書。

當時德國受經濟大蕭條打擊，貧富差距擴大，社會不安高漲，一九三三年希特勒內閣成立。從這個意義來看，這也可以視為一部告發社會的小說。

● 耶里希・凱斯特納（Erich Kästner，一八九九—一九七四）主要作品有《天生一對》、《當我小的時候》（*Als ich ein kleiner Junge war*）等。德國作家。以《小偵探愛彌兒》一躍成名。秉持自由主義的作品受納粹抵制，有段時期被禁止在德國寫作和出版，但戰後再次活躍。

「你們也要當海盜嗎？」

林格倫《長襪皮皮》*Pippi Långstrump*，一九四五年

全世界最強女孩的孤獨

有著綁成兩根辮子的一頭紅髮、滿臉雀斑的她，帶著小猴子尼爾森先生，提著裝滿金幣的行李箱，來到雜草叢生的「亂七八糟別墅」。

林格倫的《長襪皮皮》是深深吸引全世界孩子的兒童文學名作。皮皮不過九歲，卻是個大力士，想送她進「兒童之家」的警察、想教她讀書的學校老師都不敢動她分毫。

這部作品可算是《長腿叔叔》、《清秀佳人》等以「孤女」為主角這類少女小說的諧謔之作。皮皮的正字標記是足足她的腳兩倍大的鞋子。過去女孩的行動總是處處受限，其象徵就是灰姑娘的小鞋。但皮皮說：「這雙大鞋可以讓腳趾盡情伸展！」大鞋子是自由的證明。

但我們不能忽略了隱藏在「全世界最強少女」內在的陰暗面。

最後一章，皮皮拿起閣樓找到的手槍，送給住隔壁的湯米和安妮卡兄妹。這對兄妹的父親來接他們回去。此時皮皮對著兄妹倆的背影，一手拿著手槍，一手拿著劍，說：

「『我長大以後要當海盜！』／皮皮大喊。／『你們也要當海盜嗎？』」

這可以說是皮皮最擅長的玩笑話嗎？

皮皮還在襁褓時母親就離世，曾是船長的父親在一場暴風雨中死於海難。但皮皮深信父親一定是漂流到某座小島，成了島上的國王。皮皮身邊沒有總在一旁囉唆、干涉她的父母；她不去上學，和大人作對，做出各種出人意表的行動，就像是孩子們夢想的真實體現。但是看在大人眼裡，皮皮是個無法融入群體、撒謊成性的野孩子。「長大要當海盜」一句話，透出她內心的寂寞，以及對世界的些許敵意。然而看起來也像在鼓舞著人們：「你們也要挺身對抗！」結尾彷彿凝縮了最強女孩的孤獨，有點令人鼻酸。

皮皮共推出了三部作，成為不朽名作。完結篇《長襪皮皮到南島》的最後一幕，皮皮注視著蠟燭，「接著皮皮撲地吹熄了燭火」。這也是很出色的結尾。

● 阿思緹‧林格倫（Astrid Lindgren，一九〇七～二〇〇二）主要作品有《小神探卡雷》（*Mästerdetektiven Blomkvist*）、《小洛塔》（*Barnen på Bråkmakargatan*）等。瑞典兒童文學作家。擔任教師及行政人員餘暇時創作，以《長襪皮皮》一作成名，寫下許多優秀的兒童文學作品。

最後我想問大家：／你想活出怎樣的人生？

吉野源三郎《你想活出怎樣的人生？》　君たちはどう生きるか，一九三七年

小哥白尼學到的社會結構

在青少年小說（young-adult fiction）這個文類連個影子都還沒有的時候，吉野源三郎的《你想活出怎樣的人生？》便以「日本少國民文庫」其中一部作品面世。

「**小哥白尼是個國二生。／他的本名叫本田潤一，小哥白尼是他的綽號。**」這是本書的開頭。小哥白尼成績優秀，唯一的煩惱是身材矮小。故事裡還有家境富裕而性格安靜的水谷、身材魁梧且好強的北見，以及家裡是窮豆腐店、得幫忙顧店的蒲川等角色。除了描寫小哥白尼與同學間互動的插曲，還穿插小哥白尼的舅舅為了喪父的外甥所寫下的「舅舅的筆記本」。

小哥白尼和班上同學的故事當然引人入勝，但「舅舅的筆記本」也毫不遜色，甚至更勝一籌。舅舅從哥白尼的地動說到健馱邏國的佛像，為他講述世界的森羅萬象。小哥白尼從奶粉罐發現「人類成員間的關係、網眼的法則」，舅舅告訴他，他發現的法則叫做「生產關係」。而這位充滿知識和人文素養的舅舅，其實是個二十多歲、才剛從大學畢業的年輕人。

北見被學長盯上，小哥白尼說好要陪他一起挨揍，卻背叛了朋友。這件事讓他有所成長，在故事最後，他也寫起了自己的筆記本。「**我認為這個世界必須改變，讓所有人都能成為彼此**

的好朋友。」最後作者傳達了這樣的訊息：「最後我想問大家：／你想活出怎樣的人生？」

「你想活出怎樣的人生？」的主題不是談論人生觀，而是闡述社會科學的觀點，是本書的獨特之處。之所以讓人備感說教意味，是因為這本書的對象是「未來的知識分子」。本書出版的昭和十二年是中日開戰那一年，六至七年後，小哥白尼這年紀的年輕人就會被送上戰場，受命「光榮殉國」。一想到此，最後的提問更是沁人肺腑。

戰後作者修改內容，因此本作品有幾個版本。小哥白尼模仿廣播實況轉播的比賽，戰前版是早慶戰，戰後版則是南海巨人戰。現在的岩波文庫版是以戰前版為準。

● 吉野源三郎（Yoshino Genzaburo，一八九九～一九八一）主要作品有《林肯》（エイブ·リンカーン）、《我是人，你也是人》（ぼくも人間、きみも人間）等。曾任山本有三編纂的「日本少國民文庫」編輯主任、明治大學教授，後來進入岩波書店，擔任雜誌《世界》（世界）的初代總編，為「岩波少年文庫」的創設付出心血。

小熊維尼（略）咚、咚、咚地上樓來了。

米恩《小熊維尼》*Winnie the Pooh*，一九二六年

日譯本堪稱藝術

提到維尼，現代的孩子應該都會想到迪士尼版的「小熊維尼」。但是在昭和時代的孩童眼中，維尼當然是指石井桃子翻譯（一九四〇年）、米恩原作的《小熊維尼》。

為了嚐到蜂蜜，抓著氣球飛上天或是掉進兔子洞裡，傻呼呼卻惹人疼愛的小熊維尼。屹耳、小豬、瑞比、貓頭鷹這些森林的夥伴們，還有續集《小熊維尼和老灰驢的家》（*The House At Pooh Corner*）裡登場的跳跳虎。對於熟悉石井譯本的讀者來說，迪士尼版角色的日文譯名顯得裝模作樣，即使較忠於原名，但怎麼看就是不一樣。

譯者的巧思特別反映在這些段落：

不會寫字的維尼想在送給屹耳的禮物寫上「祝你生日快樂」，於是拜託貓頭鷹幫他寫。貓頭鷹卻寫了這樣的內容：

「礻兄亻尔生目忄夬槳。」

錯成這樣幾乎稱得上藝術了！

「維尼萬分尊敬地看著貓頭鷹寫字。／貓頭鷹漫不在乎地說：『寫個生日快樂而已，小菜

一碟。』／維尼說：『好長，好棒！』顯得敬佩極了。」

這原本是父親說給兒子克里斯多福・羅賓的故事。維尼本來是一隻小熊布偶，開頭是「小熊從二樓下來了。咚、咚、咚，小熊的頭撞著階梯，跟在克里斯多福・羅賓後面下樓來了。」結尾則相反：「小熊維尼跟在克里斯多福・羅賓後面，咚、咚、咚地上樓來了。」

小熊布偶的腳被孩子拎在手上，頭下腳上地拖上樓梯。連接一樓與二樓的階梯，是通往奇幻世界的出入口。這本書的結構巧思十足。

石井桃子（一九〇七～二〇〇八）是在兒童文學界留下重要功績的翻譯家與作家。《米菲兔》和《彼得兔》若非在她翻譯之下，應該不會如此家喻戶曉。

- 艾倫・亞歷山大・米恩（Alan Alexander Milne，一八八二～一九五六）主要作品有《紅房子謎案》（*The Red House Mystery*）等。英國作家。少時得到科幻小說之父H・G・威爾斯（*Herbert George Wells*）的賞識指導，深受其影響。也書寫偵探小說，在日本則是以著有《小熊維尼》聞名。

我們走吧！——看來正好趕上午茶時間。

休・羅夫廷《杜立德醫生航海記》*The Voyages of Doctor Dolittle*，一九二二年

無論好壞，都是大英帝國式的故事

杜立德醫生能夠與動物交談，還身兼博物學家。在日本，這是以井伏鱒二的譯文廣為人知的全十二集系列作；尤以第二集《杜立德醫生航海記》大受歡迎。鸚鵡玻里尼西亞、猴子奇奇、狗兒吉普、鴨子黛黛，還有醫生的小助手少年湯米。光是聽到這些名字就教人懷念極了。

但是如今重讀，卻讓人感到時代的變化。

首先從現代的眼光來看，劇情步調較緩慢。杜立德醫生為了追查他尊敬的博物學家隆格．阿洛的下落，帶著動物們再次出海。這是《航海記》的大綱。然而明明叫航海記，一行人卻遲遲不出發。全書不過三百八十頁，都過了一百六十頁場景還在英國。敘事者是已經成了老人的湯米，因此「老師說」式的語法節奏也優哉游哉。

另一點是同時代的文學極限仍跳脫不出西方中心主義。一行人好不容易抵達蜘蛛猴島，這是一座居住著「美國印第安人」的未開化島嶼。杜立德醫生幫助不知火為何物的印第安人，教他們如何生火，還成功鎮壓了印第安人與鄰近部族的戰爭，並因而受推舉為新國王。外來的白人將文明帶給未開化民族，將這些人導向正途，實在是十足殖民地主義式劇情。

唯一拯救了這點的是故事並未就此結束！到了尾聲，動物們擔心成天忙於國王公務、失去自由的醫生，於是想出一計，將醫生救離島嶼。醫生還來不及向島民道別，一行人便乘上巨大「海蝸牛」的殼，回到了英國。湯米擔心起留守的黛黛是否已去廚房生火，醫生回應：

「四點了！我們走吧！——看來正好趕上午茶時間。」

無論好壞，這都是大英帝國時代色彩十足的故事。不論在於海洋冒險浪漫故事的形式，或是那段將醫生（和讀者）從非日常拉回日常的「午茶時間」。

至於現代的兒童讀者，我推薦二〇一一年陸續出版的河合祥一郎新譯的杜立德醫生系列（角川翼文庫）。譯文刷新，並針對歧視性描寫附上解說。

● 休・羅夫廷（Hugh John Lofting，一八八六～一九四七）

主要作品有《魔幻暮光》（*The Twilight of Magic*）等。美國作家。生於英國，後前往美國工作，餘暇從事寫作。第一次世界大戰時目睹受傷軍馬悲慘的狀況，得到《杜立德醫生去非洲》（*The Story of Doctor Dolittle*）的構思。

也是洪作年紀夠大了，能將寂寥的音樂就當成寂寥的音樂聆聽。

井上靖《雪蟲》　しろばんば，一九六三年

從伊豆鄉間小鎮啟程的少年

舞臺是伊豆的湯島（靜岡縣伊豆市），井上靖《雪蟲》據說刻畫的是作家少年時代，由某種小蟲說起。

「當時，不過也就是大正四、五年的事，距今四十多年前，每到傍晚，村裡的孩子會口口聲聲喊著『雪蟲！雪蟲！』在屋前的街道上四處奔跑，追趕著在暮色漸濃之際宛如棉絮飄浮般浮遊的白色小生物遊玩。」

這就是書名的由來。洪作和前往豐橋赴任的家人分開，在母親娘家湯島，和以前是曾祖父小妾的阿縫婆婆一同在大宅院內的土倉庫生活。故事以洪作和溺愛他的阿縫婆婆的互動為主軸，描寫洪作小學二、三年級，以及五、六年級的時光。

除了細膩刻畫孩子們在中伊豆自然環境的生活以外，這部小說有趣之處在於呈現都會與鄉間的對比。洪作多次由婆婆帶著離開村子，前往沼津、豐橋、三島、下田等地，並深深震懾於都市的繁華。花柳界出身的阿縫婆婆、女學校畢業後成為教師的阿姨咲子、轉學生秋子、染上都會色彩的母親七重……這些高潔女子們亦是連結都會與鄉下的存在。

阿縫婆婆過世之後，洪作為了考中學，出發前往擔任軍醫的父親新的赴任地濱松。小說結束在洪作等火車時，遇到電影宣傳樂隊的一幕。

「雖是離鄉背井之日的感傷心情使然，但同時另一方面，也是洪作年紀夠大了，能將寂寥的音樂就當成寂寥的音樂聆聽。」

希望讀者注意的是，最後一幕場景是前往大都市濱松的轉乘站大仁。孩提時期視為繁華都市的大仁，此時洪作卻只感到「寂寥」。站在人生起點的洪作已然得知，這裡不過是個過渡點罷了。與《伊豆的舞孃》相反，這是少年離開伊豆的故事。以樂隊演奏的寂寥音樂來祝賀少年的啟程，真是名家手筆。

湯島建起了一座「雪蟲像」，遊客可以在此享受文學散步的氛圍。雪蟲是一種分泌物如白色毛絮的芽蟲類昆蟲。

- 井上靖（Inoue Yasushi，一九〇七～一九九一）主要作品有《鬥牛》（鬪牛）、《冰壁》（氷壁）、《風濤》（風濤）、《孔子》（孔子）等。任職於每日新聞社時，以《鬥牛》得到芥川獎，此後進入文壇。積極遊歷世界各國。曾擔任日本文藝家協會理事長、日本筆會會長等。

無意間她聽人說起，她拾花的第二天，信如便換上法衣前赴學林了。

樋口一葉《青梅竹馬》　たけくらべ，一八九二年

美登利的友禪布，信如的水仙花

以東京下町吉原一帶為舞臺，描寫從兒童蛻變為大人的少年少女時光的名作。聽到這樣的介紹，自然會想到樋口一葉的《青梅竹馬》。

美登利是吉原頭牌遊女（妓女）的妹妹，將來也注定成為遊女，卻是個會和男孩子打架的頑皮丫頭。相對地，將來注定成為僧侶的龍華寺之子信如是個懦弱的少年。本作品描寫環境和個性互為對照的兩人之間淡淡的情愫。雖以文言文寫就，但一葉裁剪少年男女心境的筆法，宛如電影導演的攝影機。

有一次，信如經過美登利居住的大黑屋前面時，木屐的鞋帶斷掉了。在紙門內目睹這一幕的美登利連忙走到屋門，扔了一塊紅色的友仙（友禪）碎布給他權充鞋帶。然而信如恍若未見，逕向路過的友人借了木屐。一葉如此寫道：「**徒留嬌弱的紅友仙綢布躺在格子門外。**」

從格子門縫拋出來掉落地面的紅布。天哪，真是太虐心了！沒過多久，美登利便百般不願

地梳起了島田髮髻。這代表她去店裡接客的時間近了。

最後一幕對應這個場面。

一天早晨，美登利不經意一望，發現格子門外插了一支紙水仙花。美登利不知道是誰插的，但「不知何故，懷念不已」，將紙花插在格櫥上欣賞著。接著一葉寫下了絕妙的一句：「**無意間她聽人說起，她拾花的第二天，信如便換上法衣前赴學林了。**」

學林是培育僧侶的學校。水仙花一事的隔天，信如便離開小鎮，踏出成為僧侶的第一步。插在格子門上的白水仙，是信如對美登利丟紅布給他的回禮，還是道歉？天哪，真是三重的虐心！

成為遊女的美登利與成為僧侶的信如往後應是形同陌路。最後一文，意味著兩人決定性的離別。然而餘韻卻營造得絲毫不落痕跡，令人驚嘆。

美登利在最後一節突然變得端莊乖巧，是否因初經來潮？這件事曾在學界引發爭論。少年的成長與升學職涯、少女的成長與肉體變化，兩者間似乎密不可分。

● 樋口一葉（Higuchi Ichiyo，一八七二～一八九六）主要作品有〈濁江〉（にごりえ）、〈十三夜〉等。父親死後撐起一家經濟。入門歌塾荻之舍，受同門三宅花圃寫的〈藪鶯〉（藪の鶯）啟發，立志成為作家。在文壇獲得極高評價，卻於二十四歲死於結核病。

大孩子也幾乎都長成了大人。

儒勒・凡爾納《十五少年漂流記》 *Deux ans de vacances*，一八八八年

教導何謂「現代」的童子軍小說

這部作品的讀者應該大多讀的是兒童版的節譯本。儒勒・凡爾納的《十五少年漂流記》原書名是「兩年的假期」。

故事從一場暴風雨展開：「一八六〇年三月九日的夜晚，一整晚海面烏雲密布，能見度僅數公尺。」載著八歲到十四歲共十五名少年的帆船在太平洋上漂流，來到了無人島。

十五名少年當中，十四名是紐西蘭寄宿學校的學生，還有一名黑人少年水手（外加一隻狗）。十三歲的柏利安是關心學弟的法國人，同樣十三歲的德尼凡是心高氣傲的英國人，與柏利安水火不容。最年長的柯爾登是人人愛戴的美國人，被選為第一任「總統」。以這三名國籍、個性皆不同的年長少年為中心，十五名少年在以學校起名的查理曼島，一起度過了長達兩年的光陰。

島上不僅能輕易捕捉到獵物充作糧食，很快地也發現適合居住的山洞。眾人從船上將寢具和衣物搬運下來。面對種種危機，少年們總在千鈞一髮之際化險為夷。長大之後再讀，內容實在是過度樂天，不無在巨大主題樂園玩生存遊戲的味道。

但是這場「假期」的意義，在末尾清楚地點了出來。「希望每一個孩子清楚地認識到，只要擁有秩序、熱情和勇氣，沒有克服不了的危機。」「希望每一名少年能夠記住，當孩子們回國的時候，小孩子幾乎都成了大孩子，而大孩子也幾乎都長成了大人。」

有夠八股的啦！已然長成大人的我雖作此想，但孩子意外地喜愛直白的訓話。選舉、生活以及戰爭。歷經宛如成人社會縮影的群體生活後，少年蛻變成大人。這也是現代人眼中「正確的少年樣貌」。從《十五少年漂流記》到「機動戰士鋼彈」系列，一脈相承為團隊合作的故事。算是一部關卡難易度略難的童子軍小說。

日文版的初譯是森田思軒的《十五少年》（一八九六年）。《十五少年漂流記》的書名則出於霜田史光的譯本（一九二五年）。這是一部靠節譯本普及之作，集英社文庫版是全譯版。

● 儒勒・凡爾納（Jules Gabriel Verne，一八二八～一九〇五）主要作品有《海底兩萬里》、《環遊世界八十天》、《從地球到月球》。法國作家。對科學富含深厚興趣，寫下許多幻想科學小說，成為大眾流行作家。他的作品也被視為科幻小說的原點。

這段期間，軍官一直注視著停泊在遠方海面美麗的巡洋艦。

威廉．高汀《蒼蠅王》*Lord of the Flies*，一九五四年

《十五少年漂流記》異化版，戰慄的二十世紀文學

載著一群少年的飛機迫降南太平洋的孤島上，少年們一面等待救援，一面展開自立自強的生活。威廉．高汀《蒼蠅王》這本小説是澈底覺悟的《十五少年漂流記》。

不過，並不推薦膽小的人閱讀。因為裡面充滿令人作嘔的劇情發展和描寫，可說是惡搞的登峰造極之作。這是一座宛如世外桃源的珊瑚礁島，糧食十分豐富，不虞匱乏，少年們一開始過得很開心。然而他們因為不想親睹血腥的屠宰場面，遲遲抓不到野豬；為了通知救援隊遇難地點而生起的火，也因為顧火的孩子沉迷狩獵熄滅了。就這樣，少年們分成兩派，對立漸深，狀況終於朝最糟糕的方向發展。

從少年們手中奪走了秩序的怪物，它的真面目就是恐懼吧。雖然一般會説《蒼蠅王》所描寫的是「人性黑暗」，但並不是那麼誇張的故事。而恐懼會讓人願意做出任何事。

結尾也清楚表現出與《十五少年漂流記》的差異。島上發生森林大火，海軍軍官看見煙霧

而登陸，發現這群少年後說：「你們好像玩得很起勁呢。」但是對於軍官詢問「你們有多少人」，身為領導的少年拉爾夫卻答不上來。「你們連總共多少人都不知道嗎？」對比在讚頌少年們成長中結束的《十五少年漂流記》，可謂天差地遠。

「軍官在少年們一片嗚咽聲中，心緒起伏，不知所措。他轉過頭去，給他們一點時間平靜下來。他安靜地等待著。這段期間，軍官一直注視著停泊在遠方海面美麗的巡洋艦。」

軍官待在因獲救而安心哭泣的少年們旁邊時，內心想的是什麼？是對於來自英國的少年們這副頹廢模樣心生嘆息？還是因大人們將少年逼到這般境地而備感自責？不，事情並不單純。既然軍官乘坐的巡洋艦是戰艦，便無法保證少年們能順利回到自己的國家。本作的舞臺是不遠的未來，少年們是在逃離核子戰爭的途中遇難，島外等待著他們的是更加殘酷的命運。這段時光不過是眨眼間的休息。

我本來想說明「蒼蠅王」指的是什麼，但因太過不舒服還是作罷。也可以將這部作品視為正統派冒險小說的諧謔作品來讀，反映出十九世紀與二十世紀小說的差異。

● 威廉・高汀（Sir William Gerald Golding，一九一一～一九九三）主要作品有《品徹馬丁》（*Pincher Martin*）、《教堂尖塔》（*The Spire*）等。英國作家。第二次大戰時從軍。處女作《蒼蠅王》獲得極高評價，後來持續發表重量級作品，於一九八三年獲得諾貝爾文學獎。

「媽媽當然不一樣。」

雷納爾《胡蘿蔔鬚》*Poil de carotte*，一八九四年

敵方角色「鬼母」

主角的小男孩有著一頭紅髮，又滿臉雀斑，家人都叫他「胡蘿蔔鬚」。母親對么兒胡蘿蔔鬚特別壞，奸巧的兄姊瞧不起弟弟，父親也不制止妻子異常的行為。對於熟悉溫馨家庭故事的年輕讀者來說，雷納爾的《胡蘿蔔鬚》應該是一部相當震撼的小說。

逼迫做苦工、在湯裡放進可怕的東西懲罰尿床、惡狠狠地怒罵。母親加諸於胡蘿蔔鬚身上的每一個行徑，都相當聳人聽聞、令人不敢正視。但相對地，胡蘿蔔鬚無論在撒謊、虛張聲勢、殺害動物也樣樣都來，只為了躲避母親的責罵。小時候的我讀了，忍不住訝異於給孩子讀這樣的內容真的好嗎？

之所以這麼想，或許出於「母親會無條件愛自己的孩子」、「孩子就是天真無邪而且堅強」等成見。虐待行為自古有之（以前可嚴重多了），將這些片段如一則則小故事般串起的《胡蘿蔔鬚》，看起來也像「邪惡鬼母」這樣的敵方角色與「卑躬屈膝」的軟弱角色一搭一唱的喜劇集。

實際上，胡蘿蔔鬚並不是一直任人宰割。他長大之後終於敢大吼：「去死吧！臭老太

婆！」「我最討厭妳了！」甚至拒絕母親的命令。

最後一幕也是，他將帽子砸在地上大喊：「才不會有人愛我這種人！」這時大魔頭鬼母冷不防現身。

「結果胡蘿蔔鬚慌忙地加了一句：／『媽媽當然不一樣。』」

情急之下的討好。這是胡蘿蔔鬚防範敵方攻擊於未然、使出渾身解數的防禦。

倘若最後母子和解，《胡蘿蔔鬚》就只是一部平凡的作品。接近結尾處，父親展開衝擊的告白，原來母親的態度背後隱藏著夫妻間的不和。「只要忍耐到二十歲，你就自由了。」如同父親這話，胡蘿蔔鬚想必很快會離開家吧。而「媽媽當然不一樣」這句話，聽起來就像逐漸脫離少年期的孩子對母親的阿諛，或是諷刺。

據說這部作品反映了作者的孩提時代。譯者岸田國士認為本書的主張是「別小看孩子」。似乎也能當成思考現代虐兒的啟示。

● 儒勒・雷納爾（Pierre-Jules Renard，一八六四～一九一〇）主要作品有《葡萄園的葡萄工》（*Vigneron dans sa vigne*）、《博物誌》（*Histoires naturelles*）等。法國作家。創刊文藝雜誌《法蘭西水星》（*Mercure de France*），以《菟絲子》（*L'Écornifleur*）獲得矚目。《胡蘿蔔鬚》改編舞臺劇後大受歡迎，在戲劇領域亦十分活躍。

6

風土的研究

只有實際走過才知道。
這個國家的人、自然、歷史和文化。

„
這裡是明亮得耀眼的黑暗國度。

——中上健次《紀州——木之國、根之國故事》

（甲府的富士山）很像酸漿。

太宰治〈富嶽百景〉　富嶽百景，一九三九年

失意作家捕捉到的富士山身影

「富士山與月見草是天作之合。」

這是太宰治〈富嶽百景〉中有名的一句。從這段文字所想像的是一片盛開的金黃色月見草，襯著巍巍聳立的富士山。我過去還以為富士山腳下叢生著一整片月見草，當然這錯得離譜。

太宰治雖出道文壇成為作家，卻藥物成癮，一下自殺未遂，一下殉情未遂。陷入失意深淵的太宰，於一九三八年（昭和十三年）九月至十一月中旬，在井伏鱒二的邀約下，「懷著洗心革面的覺悟」，長住在河口湖畔往上攀登一段路的御坂峠的天下茶屋。〈富嶽百景〉這部短篇記錄的就是那些日子，其間點綴著不同時刻的富士山形姿。

自御坂峠眺望的景觀是富士三景之一，太宰卻說：「宛如澡堂牆上的油漆畫。是舞臺上的背景畫。這幅怎麼看都如同訂作的景色，讓我感到無比羞恥。」

而前面提到的月見草，則是在登上山頂的巴士裡，於富士山對側（↑這是重點）驚鴻一瞥的金黃色花朵。其餘乘客為了「平凡無奇的三角山」正歡呼連連之際，一名老婦卻望著與富士

山相對的斷崖。「咦，是月見草。」她說，轉頭一看，路邊的小花與富士山「昂然對峙，毫不退縮」地挺立著。月見草也叫做待宵草或大待宵草，但無論如何，富士山和月見草並不在同一幅畫面裡。

結尾來到下山後在甲府度過一晚的隔天早晨。

「我憑靠在廉價旅舍骯髒的欄杆上，望向富士山，甲府的富士山自群山身後探出三分之一腦袋來。很像酸漿。」

山梨縣和靜岡縣「哪一邊才是富士山的正面」，至今仍爭執不休，但「很像酸漿的富士山」顯得有點害羞。住宿在御坂峠期間，太宰和一名甲府的小姐（後來成為太宰之妻的石原美知子）的婚事大致上談妥了。太宰或許就是為了掩飾教人靦腆的婚事，才將富士山拖到前景來。從甲府看出去的富士山，或許就是未婚妻的化身，或許反映著即將成家的作家心境。

御坂峠立有一座文學碑，上頭寫著「富士／與月見草／是天作之合／太宰治」。不過既然要節錄，我倒覺得「就像澡堂牆上的油漆畫」還比較有意思。

● 太宰治（Dazai Osamu，一九〇九～一九四八）簡介請參考三十四頁。

都市的天空彼端傳來了汽笛聲。

國木田獨步〈武藏野〉　武藏野，一八九八年

發現風景的文學

「『武藏野的餘韻，如今僅略存於入間郡』，我曾在文政年間繪製的地圖看到這樣的記載。」

這是國木田獨步〈武藏野〉知名的開頭。現在仍經常被引用的「武藏野的餘韻……」，似乎源自於此。

一般認為，〈武藏野〉在文學史上的價值在於它發現了「風景」。風景並非從一開始就存在那裡，而是因為有觀賞的一方，風景才成了風景。獨步讀到屠格涅夫筆下、二葉亭四迷翻譯的俄國白樺樹林的描寫，靈光一閃，模仿寫出了〈武藏野〉；而四季變化萬千的落葉樹林格外觸動他的心靈。因為這座積滿落葉的森林，在獨步之前從來無人眷顧。

就這樣，獨步對武藏野的大自然極盡讚美，但最後描寫的是「大都會的生活殘影和鄉間的生活餘波」交會之處。「每到九點、十點，蟬子便在大馬路可見的高枝上歌唱，天氣一下子熱了起來」，接續這段夏季午前的風景描寫是：「但十二點的咚咚聲仍依稀傳來，都市的天空彼端傳來了汽笛聲。」

文本就此畫上句點。「十二點的咚咚聲」指的是午砲聲（正午的報時）。東京的午砲臺位在丸之內。居然聽得到報時聲，那麼此處所說的「武藏野」究竟在哪裡？或說自然描寫上哪兒去了？儘管可能如此納悶，但其實是將都會和大自然視作涇渭分明的我們，過於貧乏的自然觀所致。獨步深愛的關東落葉樹林，並非北海道那類原生樹林，而是經過人為整理的樹林。以現代詞彙來說近似「里山」。

貼近人類生活的大自然，都市與鄉間的邊境。明治時期的東京有著許多這樣的場所。鳥、風、蟲、貨車、馬蹄聲……作品中也有許多「聲音的風景」，最後則以遠方的汽笛聲收尾。這般與都心絕妙的距離感，從開頭的「文政年間」到「汽笛聲」響起的近代，予人經歷一趟時光小旅行之感。附帶一提，獨步撰寫〈武藏野〉之前居住澀谷。現今時尚大樓林立那一帶，在明治時期是雜木林所在的「武藏野」。

要明確指出「武藏野」的範圍較為困難。武藏野市建有節錄〈武藏野〉一文的獨步文學碑，澀谷則立有「國木田獨步住宅遺址」的石碑。就在NHK大樓後面。

- 國木田獨步（Kunikida Doppo，一八七一～一九〇八）主要作品有《源叔父》（源叔父）、《牛肉與馬鈴薯》（牛肉と馬鈴薯）、《宿命論者》（運命論者）等。除了創作詩和小說，身為編輯亦發揮長才，曾擔任雜誌《婦人畫報》的第一代總編輯。被視為自然主義文學的開創者。

我逃過了脊椎結核的魔掌。

志賀直哉〈在城之崎〉　城の崎にて，一九一七年

與篇名背道而馳的殘忍故事

自古以來，城崎就是兵庫縣極富代表性的溫泉勝地。但若是追求旅情而拿起志賀直哉的〈在城之崎〉一讀，應該會被意料之外的內容嚇一大跳。

小說開篇寫道：「我遭山手線電車撞擊受傷，後來獨自前往但馬的城崎溫泉療傷。」哦，是去泡湯療傷啊。開頭可以看出這一點，但重點在前半的「受傷」。被電車撞到卻沒喪命，已經是奇蹟了，實際上作品接下來就寫道「背傷若是惡化成脊椎結核，可能會要命」。

脊椎結核是結核菌感染脊椎而引發的疾病，與受傷並無直接關聯。但也許背部的疼痛容易讓人聯想到當時的絕症結核病，敘事者「我」因而深陷對死亡的恐懼。他在這樣的狀態下目擊三件小事。透過文庫本這九頁篇幅的描寫，可說道盡了此部短篇欲傳達的所有內容。所謂小事，全是小動物的死亡。首先是從旅館窗戶看到的蜂的屍體；接著是掉進河裡痛苦掙扎的垂死老鼠；最後是被石頭砸中死亡的蠑螈。這些都是當人們害怕死亡，疑神疑鬼時才會注意到的場景。

而谷崎潤一郎的《文章讀本》讓這篇小說一躍成名。書中第一章，谷崎引用前述目睹蜂的

屍體段落，讚賞其簡潔扼要。不過《文章讀本》是一本針砭世間美文信仰之作，引用〈在城之崎〉是否意在諷刺喜好瑰麗描寫的讀者？

直哉也好不到哪兒去。他因意外重傷、旅居城崎是事實，但他是否想藉由書寫殘酷的場面，讓讀者也一嘗死亡的恐懼？

「後來已經過了三年多，我逃過了脊椎結核的魔掌。」

小說以簡單而自我中心的報告戛然結束。只讀開頭和結尾，沒人想得到這是含有虐待動物情節的殘忍故事吧。搭配宛如紀行文的篇名，讀者就此被澈底糊弄過去。「小說之神」也是會做出宛如惡魔之舉的作家。

城崎是許多文人墨客造訪之地，也坐落著許多文學碑。直哉的碑文是〈在城之崎〉的開頭段落，以及「那一頭伸向路面的桑枝，僅餘一葉……」，避開了殘忍的描寫場面。

● 志賀直哉（Shiga Naoya，一八八三～一九七一）簡介請參考一八五頁。

我們朝夕對著前方的雲朵引頸翹盼，滿心期望快點看到日本。

竹山道雄《緬甸的豎琴》　ビルマの竪琴，一九四八年

在日本寫就、廣為日本人閱讀的療癒之書

一名日本士兵在緬甸迎來戰敗，隨後成為僧侶，留在當地。《緬甸的豎琴》是曾任職舊制第一高等學校的德語教師，文學家竹山道雄留下的兒童文學作品。

「我們真的經常唱歌。」

以這樣一句話開啟的故事，主角是出身音樂學校的隊長所率領的小隊。日本投降之後，水島上等兵為了憑弔戰死同袍，決定出家，留在緬甸。「喂，水島！」、「一起回日本吧！」這樣的臺詞也令人印象深刻，是戰後廣受閱讀之作。

但是在今天，這部作品不能說獲得文學家和歷史學家的無條件支持。因為不同於它溫馨的劇情，《緬甸的豎琴》本身即存在一些問題。

就算不論唱歌士兵的設定，士兵們和樂融融相處、在「泥土小屋」與敵方英軍靈犀相通的橋段，都與戰場和舊日本軍的真實情況有著天壤之別。「食人族」等描寫，對亞洲的無知與不

理解亦教人不忍卒睹。還灌輸讀者對戰爭、緬甸及上座部佛教的錯誤知識……問題點族繁不及備載。

那麼，為什麼從不曾踏上緬甸的土地、也沒上過戰場的作者要寫下這部作品？一般認為是身為知識分子的作者，卻將學生送上戰場，出於慚愧之情而寫；但部分原因可在結尾窺見一斑。最後是載著軍隊的歸還船行駛於海上的場景。

「日復一日，船隻悠然前進。慢吞吞地前進。我們朝夕對著前方的雲朵引頸翹盼，滿心期望快點看到日本。」

「快點看到（未來的）日本」，若是進一步補充，就可以想像當時日本甫戰敗的氛圍。不僅僅是望鄉之情。當時的人們全對著日本前進的方向「引頸翹盼」。

話說回來，水島上等兵會留在緬甸，是為了替客死異鄉的戰場同袍收屍。雖說是時代的極限，但這部作品完全沒有顧及緬甸人的觀點。不過水島的行為「療癒」了軍隊和讀者，從這個角度來看，可以說澈澈底底是「我們日本人」的故事。

據說這部作品的構想來自竹山道雄自戰場歸來的學生描述。軍隊中的合唱團隊似乎真有其事。一九五六年分別由安井昌二、一九八五年由中井貴一主演改編電影（皆為市川崑導演）。

● 竹山道雄（Takeyama Michio，一九〇三～一九八四）主要作品有《白磁杯》（白磁の杯）、《短命》（命）等。德國文學家、評論家，翻譯尼采、易卜生等人著作亦備受稱道。於兒童雜誌連載《緬甸的豎琴》引發熱烈迴響，由導演市川崑改編為電影。

一道聲音後，又接著另一道聲音。

島崎藤村《黎明前》 夜明け前，一九三五年

薩摩、長州以外的明治維新

「木曾路整段都在山中。」

這是無人不知無人不曉的島崎藤村《黎明前》開頭。馬籠宿（岐阜縣中津川市）會成為觀光勝地，本作應該厥功甚偉。

小說以主角馬籠本陣的當家青山半藏，從位於深山的木曾路接到黑船來航的傳聞寫起，經過維新前後動盪的時代，一路寫至半藏結束他五十六歲生涯的明治十年代。眾所周知，半藏的原型人物即藤村的父親（島崎正樹）。

這是一部文庫全四冊的大作，或許不少人讀到一半就備感挫折。雖然像走偏門，但讀完這部作品的訣竅是從後面讀起，亦即先讀第二部下集，再回到第一集。因為《黎明前》最為高潮迭起的橋段是描寫維新後的宿場和半藏的第四集，也有許多和現代重疊的部分。

參勤交代制度[4]廢除，維新前後短暫榮景也消退之後，宿場町日漸蕭條。儘管想靠木材業重振當地疲弊的經濟，然而山林卻被劃入官有地，居民惶惶不知所措。這裡也凝縮著古今皆然

的中央與地方、國家與國民之間的摩擦。

尾聲處，半藏陷入艱難的處境。他的狂亂之舉愈來愈多，甚至縱火寺院，後被監禁在自家牢房，最終在瘋狂中迎接死亡（他那些失常症狀感覺近似今日的阿茲海默症，但這並非重點）。

最後一幕是男人們發出吆喝聲，為半藏挖墓的場景。

「每當佐吉等人將鐵鍬插進散發刺鼻氣味的泥土中，鐵鍬的聲響便沉甸甸地震動勝重的肚腹。一道聲音之後，又接著另一道聲音。」

加上前面「我會不見天日地死去」的臺詞，更凸顯出寄希望於維新，卻於失意潦倒中結束一生的半藏的悲劇性。不過，這「聲音」也讓人感覺像是開拓黎明（未來）的槌音。即使主角死去，歷史仍持續下去。作為勝利組薩摩、長州、土佐、肥前藩以外之地眼中的明治維新史，頗堪玩味。

旅遊木曾路之後再讀《黎明前》，很奇妙地，劇情便極順暢地進入腦中。中山道馬籠宿（岐阜縣中津川市）現在仍留存藤村出生的家（＝本書舞臺），並以「藤村紀念館」對外公開。

4. 參勤交代為江戶時期的制度，各藩大名必須在江戶及領地往返輪流值勤。此制度帶來交通發達、驛站繁盛的結果。

● 島崎藤村（Shimazaki Toson，一八七二～一九四三）主要作品有《破戒》、《春》、《新生》、詩集《若菜集》等。受法國、德國、俄國自然主義影響，主要作品深刻洞察情慾、嫉妒等人類的自然天性。身為近代詩的確立者也受到極高的肯定。

它的芬芳仍會自〈站在路旁眺望〉的遠方山丘乘風而來。

新渡戶稻造《武士道》　武士道，一八九九年

日漸被遺忘的精神風土

「武士道就如同其表徵之櫻花，為日本這塊土地固有的花朵。」

這是新渡戶稻造《武士道》知名的開篇首句。為新渡戶的門下生，經濟學家矢內原忠雄所翻譯的日文版本（一九三八年）。

新渡戶自札幌農學校畢業以後，留學美國、德國，為國際派人士，但他總是在留學的外國被身邊人們、或是妻子瑪麗問道：「在日本是怎麼樣呢？」、「為什麼日本人會那樣呢？」新渡戶向來自詡「我要成為太平洋的橋梁」，因而認為自己有義務明確地回答這些問題吧。他停留美國期間，以英語寫下《武士道》一書。這本書等於是寫給基督教圈讀者的思想版日本導覽。

由此，《武士道》絕對不是近世武士道「正確的概說書」。而想光靠武士道闡述日本的精神風土，原本就是不可能的事。但新渡戶為了融合西洋與東洋，可說挖空心思。開頭的武士道（Chivalry）即是騎士精神。新渡戶引用西方哲學及文學，說明義、勇、仁、禮、誠等概念。

比起日本式的精神固有性，他在書裡更強調其普遍性，以及武士道和西洋騎士精神、基督教的共通點。

但是在最後一章〈武士道的將來〉，他擔憂武士道這「獨立的倫理道德或許將消失」。二十世紀在即，拜金主義和功利主義大行其道。那麼，新渡戶放棄了「武士道的傳承」嗎？

「百年之後，即使它的風俗將被埋葬，連它的名字都被遺忘，但它的芬芳仍會自〈站在路旁眺望〉的遠方山丘乘風而來。」

〈站在路旁眺望〉是詩的一節。書中接著引用詩句「對那未知來自何方的近旁芬芳，／旅人心存感激，／停步脫帽，／接受來自空中的祝福」，但他的意思是武士道大半已「滅亡」了。即使形體消逝，香氣猶存，這不屈的、或說不認輸的精神，完全符合武士道。

原書名為「Bushido, The Soul of Japan」。附帶一提，「武士道者，死之謂也」是近世的鍋島藩士山本常朝寫下的《葉隱》一節，與本書無關。

• 新渡戶稻造（Nitobe Inazo，一八六二～一九三三）主要作品有《農業本論》、《隨想錄》等。札幌農學校畢業後留學美國與德國。曾任教於東大、京大等校，打造民主主義教育的基礎。《武士道》在世界各國成為暢銷書。曾擔任國際聯盟副事務長，亦是活躍的國際人士。

無疑皆企求著這座山呈現於日本人眼前的清純。

布魯諾・陶特《重新發現日本之美》 日本美の再発見，一九三九年

比起日光東照宮，桂離宮更美！

為了逃離納粹的魔爪，德國建築師布魯諾・陶特來到日本避難，他從昭和八年（一九三三年）住到十一年，遊歷各地。《重新發現日本之美》（增補改譯版為一九六二年出版）是以他留下的數篇論文及日記編纂而成的日本建築探訪記。

陶特對桂離宮讚不絕口，對日光東照宮則是持否定態度，這件事相當知名。他甚至說出「日本的建築文化不可能比桂離宮更加崇高，也不可能比日光更為低俗」這樣的話。可以說陶特對日本人的美意識留下了相當深遠的影響。

陶特自京都出發，從岐阜經飛驒高山前往富山，沿著日本海側北上，經新潟、佐渡、鶴岡、秋田、弘前到青森。回程則取徑太平洋側，從松島、仙台一路前往東京。這就是本書收錄的旅程路線。在這段旅程中，陶特還稱讚白川鄉的合掌造建築，以及秋田質樸的民家。相對地，他對洋味十足的時髦建築物則無比苛刻。

如今回想，這也是一種東方主義。陶特闡述了以伊勢神宮外宮為代表的純粹日本美的價值之後，離開日本。題為〈永恆之物〉的最後一章，桂離宮論的末尾，是他辭別日本那天從車窗

看見的風景。

「這才是日本，以最為明亮的形式所展現出來的日本精神。」陶特如此說道：「身在日本，仰望可稱為日本國土之冠冕的富士山，並為之讚賞的人們，無論是否主動渴望，無疑皆企求著這座山呈現於日本人眼前的清純。」「冠冕」就是王冠的意思。也就是說，只要是看過富士山清純樣貌的日本人，應該都會自然而然地將這樣的精神反映在往後的建築上。

過了近八十年，書中提到的部分建築物成了世界聞名景點；日光東照宮列名世界遺產。但同樣被列為世界遺產的「古都京都文化財」裡，桂離宮卻成了遺珠。不過，陶特欣賞的白川鄉也列名世界遺產，算是一吐怨氣。但倘若陶特大師得知結果後是否會心想：「真是莫名其妙！」

這本書讓備受稱讚的當地居民揚眉吐氣，被貶低的當地居民則忿忿不平。我（齋藤）成長的新潟縣被評為「全日本最糟糕的都會區」，成了新潟市民流傳已久的知名自虐哏。

● 布魯諾・陶特（Bruno Julius Florian Taut，一八八〇～～一九三八）主要作品有《日本・陶特日記》、《日本文化私觀》等。德國建築師，為德國表現派旗手，建設許多知名的集合住宅。為躲避納粹壓迫來到日本。盛讚桂離宮，將日本文化廣為介紹至世界各國。

我想盡快找機會前往一訪。

梅棹忠夫《文明的生態史觀》　文明の生態史観，一九五七年

日本和歐洲過去擁有「一樣的本質」?!

以前念書時讀到文庫版的《文明的生態史觀》，不覺大吃一驚。書中內容充斥著得意洋洋、顛覆歷史常識的假設。

本書從如此大膽的論調展開：將世界區分成西洋與東洋是毫無道理的。如果以大橢圓形來比喻舊世界（以歐亞大陸為中心的地區），擁有相近歷史的反倒是西邊的西歐與東邊的日本。近代文明即是在此孕育而生。相對地，歐亞大陸中央那一大片乾燥地帶雖是四大文明發源地，在近代文明上卻顯得不成熟。

作者就此將世界一刀切成第一地區（西歐與日本）和第二地區（其餘地區），提出西歐與日本的「平行進化論」。

這也太扯了吧！儘管這麼想，但本書的論調卻將人唬得一愣一愣的。「**日本雖然戰敗了，卻依舊是個高度文明國家。**」這樣的宣言，肯定給予長年處在西歐自卑情節、戰敗創傷而頹喪的日本人極大的勇氣（或撫慰）。

如今回頭來看，這些說法近似「荒誕不經」。當時應該也有人提出反駁，不過即使那個

時代對「第二地區」相當陌生，卻沒有發展成激烈的論爭，實在匪夷所思。

而且重讀之後，我再次驚訝不已。「最後談談一點祕辛」，接著這句話之後的結尾是這樣的：

「我尚未實地造訪西歐及東歐，是此論述目前最大的弱點。我想盡快找機會前往一訪。」

原、原來你根本沒去過歐洲嗎……？卻能滿不在乎地提出大膽的假設，也毫不隱藏弱點和漏洞。論調挑戰意味十足，文末卻完全像趿著拖鞋出去晃盪般輕鬆。那幾乎讓人想吐槽「搞笑啊」的結尾，可一窺關西學院派的自由氛圍。

不過，那是無法隨心所欲出國的時代。也許是震撼於各國與日本的落差，梅棹大師從阿富汗、巴基斯坦、印度進行學術調查旅行回來後，立刻寫下《文明的生態史觀》。本書出版十年後，梅棹大師提案的歐洲調查旅行終於實現。

這是二〇一〇年以九十歲高齡辭世的作者於三十多歲時發表的論文（首次刊登於《中央公論》）。一九六七年出版單行本，七四年出版文庫版。

● 梅棹忠夫（Umesao Tadao，一九二〇～二〇一〇）主要作品有《智識的生產術》（知的生産の技術）、《地球時代的日本人》（地球時代の日本人）、《資訊的文明學》（情報の文明学）等。為日本文化人類學創始者及大家。前往中亞、蒙古、歐洲等地調查探險，建立起獨特的文明論。

這裡是明亮得耀眼的黑暗國度。

中上健次《紀州——木之國、根之國故事》　紀州——木の国・根の国物語，一九七八年

對「歧視、被歧視」的觀察

「我決定花上六個月走遍紀伊半島。」副書名是「木之國、根之國故事」。這是中上健次唯一留下的一部報導文學作《紀州》的開頭。

緊接著文章寫道：「所有的半島皆是如此。半島向來被冷眼相待，或被視為麻煩般的存在。理由很簡單，因為那裡是半島。」

中上曾批判司馬遼太郎的《街道漫步》（街道をゆく），稱那只是「依循行政當局規畫妥當的採訪路線」、「以文人角度輕摸一下該地的表面」的旅程。《紀州》的方法論則完全相反。中上開著自己的愛車，沒有事先知會預約，直接闖蕩各地採訪，聆聽當地人的一代記，或是停下腳步思索。

從新宮展開的旅程，途經和歌山縣、三重縣、奈良縣等二十多處，並在半島的根部天王寺畫下句點。這段期間，作家所關注的議題始終如一在於「歧視、被歧視」。在熊野三社之一的本宮，中上注視著刻在古老神社遺址石碑上的「禁殺生惡」等文字；在以牛肉聞名的松阪，作家前往知名牛肉餐廳前先造訪屠宰場；他看也不看遊客都會前往參拜的伊勢神宮之森，

而是被後方的墓地所吸引；還有抽取鹽漬的馬尾巴，供製作小提琴弦的青年的描寫，只要讀過一次，應該一輩子都忘不了。

作家在旅程的最後寫道：「我在紀伊半島看到的是歧視與被歧視的豐饒。若要形容，也就是深入『美麗的日本』深處，思考這日本的意義、思考美的意義。」最後一句則是：「這裡是明亮得耀眼的黑暗國度。」

歧視與被歧視的豐饒、明亮得耀眼的黑暗。呃……這是什麼意思？

陽光燦爛的南紀白濱、被深邃森林圍繞的熊野古道，紀伊半島上遍布許多美麗的觀光地，然而在它的深處……如此這般。闔上本書之後，我們仍不由得繼續思索「明亮黑暗的國度」這形容的矛盾之處。這是宛如諸侯出巡般只輕撫表層的《街道漫步》絕不會出現的形容。

司馬遼太郎《街道漫步》系列中與紀州相關的有《堺．紀州街道》（第四集）、《甲賀與伊賀的路徑》（第七集）、《熊野．古座街道》（第八集）、《紀之川流域》（第三十二集）等。對比起來閱讀也有一番樂趣。

● 中上健次（Nakagami Kenji，一九四六～一九九二）主要作品有《枯木灘》、《千年的愉樂》等。從事肉體勞動工作的同時持續創作，曾以《岬》獲得芥川獎。著有許多以故鄉熊野為舞臺，以自身複雜血緣關係為主題的作品。儘管眾所期待更進一步於文壇活躍，後因罹患腎臟癌逝世。

如今苦力亦絕跡已久的野麥峠上，只留下地藏菩薩像在竹原裡祥和地微笑著，述説著人世間虛渺的歷史。

山本茂實《啊，野麥峠──某製絲女工哀史》　あゝ野麦峠──ある製糸工女哀史，一九六八年

越過飛驒與信濃的縣境

「日本阿爾卑斯山中，有一條被稱為野麥峠的古老隘路。」

山本茂實的《啊，野麥峠》從這樣一句話展開。野麥峠標高一六七二公尺，是位於飛驒（岐阜縣）與信濃（長野縣）縣境的街道首屈一指的難關。

年關將近的風雪中，一群女孩行經這條隘路，她們以繩索綁住彼此的腰帶，免得摔下山谷。明治、大正、昭和戰前時期，生絲是日本重要的出口產業，從蠶繭抽出生絲是一項繁重的工作。本書訪問多達四百名前女工，重現支撐這項基礎產業的製絲女工樣貌，是一部極為罕見的報導文學。

如同副書名「某製絲女工哀史」，這部作品意識到細井和喜藏所寫的《女工哀史》（女工哀史，一九二五年）。但相對於縝密的《女工哀史》，本書內容更貼近一般讀物。採訪當時，作者在已年屆六十至九十歲的明治年間女性的真實聲音中，穿插了抽絲歌：「野麥峠啊不白過

／為自己也為父母／男當軍人女做工／抽絲亦是為報國。」眾聲嘈雜，彼此激盪，是口述文學才有的特色。

而開頭與書末野麥峠的寂靜，籠罩上這樣的喧嘩。描述曾是女工們下榻地的山嶺茶屋當時熱鬧盛況之後，本書以這樣一段文字閉幕：「當時的山嶺茶屋也隨著『戰艦大和』一同消失，如今苦力亦絕跡已久的野麥峠上，只留下地藏菩薩像在竹原裡祥和地微笑著，述說著人世間虛渺的歷史。」

是這類作品常見的「以風景始，以風景終」的手法。但請注意它的細節。生絲的主要出口地是美國。因此太平洋戰爭爆發後製絲產業衰退，並且多半挪去了軍需工廠。因此才會說「隨著『戰艦大和』一同消失」。

過去的野麥街道現已修整為縣道，野麥峠坐落著有曾為女工旅館的「幫手小屋」，並蓋起了資料館，展示相關文獻。當然，這些全有賴於《啊，野麥峠》打開的名聲。附帶一提，「野麥」指的是竹葉，「竹原的地藏菩薩」自也另有深意。

由大竹忍、原田美枝子等女星飾演女工的改編電影（山本薩夫導演．一九七九年）相當賣座。本書近開頭處也有以臺詞「啊，看到飛驒了」聞名的女工政井峰的軼事。

● 山本茂實（Yamamoto Shigemi，一九一七～一九九八）主要作品有《活下去的煩惱》（生き抜く悩み）、《喜作新道——某北阿爾卑斯山哀史》（喜作新道——ある北アルプス哀史）等。從軍後於松本青年學校執教。後來前往早稻田大學旁聽，創刊雜誌《葦》（葦）。《啊，野麥峠》為相當暢銷的作品。

雪之奇談異事等珍說，遺漏者仍多，將留待生產之餘暇綴續之。

鈴木牧之《北越雪譜》　北越雪譜，一八四一年

讓江戶為之驚奇的暢銷作

《北越雪譜》是江戶後期天保年間出版的兩部共七冊的隨筆作。作者鈴木牧之是在魚沼郡鹽澤（現新潟縣南魚沼市）從事越後縐綢布買賣和當鋪經營的無名小商人。

江戶時代沒有天氣預報，也沒有照片，以插圖描繪的雪國風物讓江戶人嘖嘖稱奇，使得本書一眨眼便成暢銷之作。

實際上，以「凡天上形成落地之物，為雨、雪、霰、霙、雹等」展開的內容，涵括與雪相關的氣象學、越後一帶的地理、暴風雪和對雪崩的恐懼，還有捕捉熊、狐狸和鹿的方法，以及新年和祭典風俗、當地特產越後縐綢布的織法，以至於調理鮭魚的方法等等，可說無所不包。

「古往今來，皆說日本全國積雪最深處之處乃越後國。即便於越後，吾所居住之魚沼郡，積雪一、二丈有餘，為其之最。」一牧之如此寫道。魚沼一年當中，大半日子為大雪封閉。儘管仍有許多文人墨客造訪越後，卻不見任何冬季的詩歌或紀行作。這是因為「時入秋末，即

畏懼大雪，逃歸故鄉」，也就是文人皆為害怕大雪的膽小鬼。但反過來說，這也是本書出版並大受歡迎的理由。

最後一項〈鶴報恩〉描述一名男子救了生病的鶴，幾天後鶴現身男子面前，留下一支長約六尺餘的稻穗，結穗數百粒。是這樣的溫馨故事。接著是略顯依依不捨的結尾：「**雪之奇談異事等珍說，遺漏者仍多，將留待生產之餘暇綴續之。**」「生產之餘暇」中可見之辛勤教人感動。

如同這句話所預告，牧之似乎原本預定在第三篇和第四篇續寫春夏秋等季節。然而他齎志而歿，隔年七十二歲即病逝，作品也結束在春初的《北越雪譜》，成了全篇被雪填滿的作品。

即使步入基礎設施完善的二十一世紀，大雪的威脅依舊不變。每當大雪侵襲日本列島，上百車輛便困在大雪中動彈不得，這景象也足堪現代的「雪之奇談」？感覺彷彿可以聽見牧之的聲音：「我就說嘛！」

新潟縣南魚沼市現已興建起「鈴木牧之紀念館」，周邊的鹽澤宿規畫為「牧之大道」，算是遲來的《北越雪譜》觀光景點。建議前往觀光的時節當然是冬季。

- 鈴木牧之（Suzuki Bokushi，一七七〇～～一八四二）主要作品有《苗場山記行》、《秋山記行》等。生於越後國魚沼郡，於江戶獲曲亭馬琴及十返舍一九等人知遇，寫下許多介紹北國文化及風土的作品。同時也力守家業的縐稠布經商買賣。

人造雪的研究，也就是破解這些密碼的工作。

中谷宇吉郎《雪》　雪，一九三八年

雪是天上的來信

能夠優雅地欣賞雪景，是「積雪不深之地的樂趣」、「如我越後這般，年年積雪深達數丈，即便看望，亦無樂趣可言」。

這是前一章談到《北越雪譜》中的一節。中谷宇吉郎的《雪》中題為〈雪與人生〉的第一章，便從引用《北越雪譜》這段展開。

中谷宇吉郎師承寺田寅彥，是全世界第一位成功製造出人造雪的物理學家。《北越雪譜》也提到雪的結晶，但名列岩波新書創刊時第一批出版書目的《雪》更勝一籌。針狀結晶、角錐、角柱及砲彈型、砲彈型組合、角板、立體樹枝型、鼓型、十二花……這些被一一命名且詳細分類的結晶形態令人眼花撩亂，驚奇不已。眾人心目中那種六角形結晶，原來僅僅是當中一小部分而已（附帶一提，雪印商標的六角形結晶是樹枝狀平板結晶）。

這些「成果」固然有趣，但這本書最有趣的地方，在於詳盡描寫收穫成果前的「過程」。作者起初是在札幌的北海道大學，接著進入十勝岳的山中，以顯微鏡拍攝雪晶。拍攝照片多達三千張。

什麼？你問為什麼要製造人造雪？當然不是為了圖利滑雪場。雪是在高空以大氣中的灰塵為核心形成，飄落地面的過程中會產生各種變化。實驗室裡製造的人造雪即是了解高空氣象的線索。

這樣的思想凝縮在看似平淡、卻頗富詩意的最後數行：

「可以說，雪的結晶就是天上的來信。信中字句是以結晶的形狀和圖樣這樣的密碼所寫下。人造雪的研究，也就是破解這些密碼的工作。」

「雪是天上的來信」這句知名的話就是來自於這裡。「來信」和「密碼」這些詩意的詞彙其實是科學實驗的結晶，真是迷人。

宇吉郎的故鄉片山津溫泉（石川縣加賀市）建有「中谷宇吉郎雪的科學館」，北大則立著「人造雪誕生地」的六角形紀念碑。據說宇吉郎的墓碑基座也是六角形。

● 中谷宇吉郎（Nakaya Ukichiro，一九〇〇～一九六二）主要作品有隨筆《冬之華》（冬の華）、《科學的方法》（科学の方法）等。物理學家。在寺田寅彥指導下，為實驗物理學研究奉獻。世界上第一個製造出人造雪的人。寫下許多科學散文，被視為科學解說著作的經典作品廣受喜愛。

是被冬季荒涼狂暴的大海拍打的崎嶇海岸。

伊莎貝拉・博兒《日本奧地紀行》*Unbeaten Tracks in Japan*，一八八〇年

旅行北日本的英國奧巴桑旅行家

「在淒風苦雨的大海連續航行了十八天後，東京城號在昨日一早抵達了國王岬（野島崎）……」

這是伊莎貝拉・博兒《日本奧地紀行》的開頭。

作者是英國女性旅行家。歷經漫長的航程踏上橫濱港時，時年四十七歲。

「在過去，出國旅遊是一種有效的療養方法；一八七八年（明治十一年）四月，朋友建議我也出國養病，因此我動念前往日本。」雖然附有這樣一段低調的「前言」，但這才不是什麼單純的療養之旅。博兒在橫濱僱了隨從兼翻譯的十八歲少年伊藤，策馬前往日光，從那裡北上朝會津、新瀉、米澤、橫手、秋田、青森等地而去，更繼續從津輕海峽進入北海道，最後從函館搭船回到橫濱，是歷時三個月的長途旅行。她也鉅細靡遺地記錄下北海道原住民阿伊努人的生活樣貌。

都市已經興建起西式建築物，但博兒喜愛的是不受西歐影響的「人跡未至之地」。書中提到，日本人盡皆勤奮有禮，道德水準卻明顯低落；每一家旅舍都很棒，但跳蚤肆虐、惡臭逼人。

博兒就像這樣既褒又貶，暢所欲言。路上突然冒出一個說英語的西方大媽，各地方的人想必都被她嚇了一大跳。

從北海道回來後，博兒前往關西，但以普及版出版的本書刪去了該部分，只記下待在日本的最後幾天。同年十二月，博兒從橫濱港離開日本。

「一八七八年聖誕節前一天，於蒸汽船伏爾加號。白雪戴頂的富士山被朝陽照耀成一片豔紅。我們於十九日從橫濱港啟程，看見富士山遠遠地聳立在密西西比灣（根岸灣）的紫色森林地帶上方。三天後，我所看到的日本的最後一眼，是被冬季荒涼狂暴的大海拍打的崎嶇海岸。」

以荒涼的大海揭幕，以荒涼的大海結束的日本之旅。

收錄全文的《伊莎貝拉．博兒的日本紀行》（イザベラ・バードの日本紀行，講談社學術文庫）中，接下來竟是通篇雜亂無章的日本論。相較之下，以描寫大海爽快結束的本書結尾，絕對來得好多了。

在日本之旅的最後，博兒拜訪的居然是東京桐之谷齋場。對於將困難當有趣的女子來說，火葬場或許也具備和狂暴大海相同的魅力。

● 伊莎貝拉．博兒（Isabella Lucy Bird，一八三一～一九〇四）主要作品有《山旅書札：一位女士在洛磯山脈的生涯》、《中國奧地紀行》（*The Yangtze Valley and Beyond*）等。英國旅行家、紀行作家。出身牧師家庭，少女時代體弱多病，為了療養病體旅行世界各地。以美國、加拿大、日本、朝鮮、中國等地的旅行記享有盛名。

他注視著玻璃窗外的初夏綠葉。

吉村昭《關東大地震》 関東大震災，一九七三年

沒想到一語成讖……

東日本大地震以後，書店擺滿了與地震相關的舊作。吉村昭描寫大正時期大地震的紀實文學《關東大地震》，也是因而被重新挖掘出來的作品。

東京帝大地震學教室的主任教授大森房吉與副教授今村明恒，為了今村公開「五十年內東京會發生大地震」的說法而針鋒相對。但很快地，今村的預言成真了。一九二三年（大正十二年）九月一日上午十一點五十八分。震央在相模灣、震度七．九級的強烈地震侵襲關東一帶，海嘯席捲伊豆和房總；東京下町許多人死於火災，公園變成避難所，流言四起，自警團失控，還發生大杉榮事件[5]。加入受災者證詞重現的災後狀況，只能以「慘絕人寰」四個字來形容。

縝密地描述受災狀況後，筆鋒再次回到兩名地震學家身上。

地震發生時人在海外，接著在回國途中的船上病倒的大森表示「我對這次的大地震深感自責」，將後事托給了今村。當上教授的今村勤奮地進行實地調查，預言「下一次大地震可能發生在大阪」。

今村表示要盡快公布得知的資訊，大森卻反對，認為可能引發恐慌的消息不應貿然公布。

兩人的立場可說代表面對防災時，科學家（或政府及行政相關人員）的矛盾情緒。

今村為此苦惱不已。隔年五月，逐漸復興的東京又地震頻頻，但今村已經坐上了必須負起責任的職位，再也無法像過去那樣高喊理想。「**無力感沁入他的心胸。／他注視著玻璃窗外的初夏綠葉。**」

這本書舉出許多例子，指出資訊控制才是流言氾濫的元凶。然而地震學家的無力感點綴著最後一幕。依循民主主義原則，資訊應該迅速向人民公開。

後來今村自掏腰包成立地震觀測所，持續監控地震活動。一九四四年發生東南海地震、一九四六年發生南海地震。但據說因正值戰時，東南海地震的消息被政府隱瞞下來。

5. 關東大地震發生不久，一九二三年九月十六日，憲兵甘粕正彥逮捕社會主義者大杉榮、同居人伊藤野枝及其外甥，並將三人殺害棄屍的事件。

● 吉村昭（Yoshimura Akira，一九二七～二〇〇六）主要作品有《星星之旅》（星への旅）、《馮・西博兒的女兒》（ふぉん・しいほるとの娘）、《破獄》（破獄）等。學習院大學中輟。與同人雜誌《赤繪》同好作家津村節子結婚。奠基於精力十足且縝密的採訪，大量產出紀錄文學和歷史文學。

因為本書的主題是「空氣」，以掌握其實體為要務。

山本七平《「空氣」之研究》

「空気」の研究，一九七七年

教育、討論和科學都奈何不了

「何謂『空氣』？它是擁有極強固且近乎絕對支配力的『判斷基準』，擁有將反抗者打為異端，以『抗空氣罪』葬送其社會生活的超能力。」山本七平的《「空氣」的研究》是探討日本流行語「KY[6]」，即「氛圍（漢字為「空氣」）」的書籍。

教育、討論、客觀資料和科學根據都奈何不了的「空氣」，它究竟是何方神聖？

作者舉海軍為例。太平洋戰爭末期，面臨是否該讓戰艦大和號出擊的重要關頭，反對方擁有詳細的資料佐證出擊是多麼有勇無謀；相對地，支持的一方卻毫無根據。即使如此，大和號還是出擊了。當時的軍令部（參謀本部）次長說：「從整體氛圍（空氣）來看，無論是當時或今日，（大和號）特攻出擊皆是理所當然。」戰後，聯合艦隊司令長官辯解：「當時我是迫不得已。」

即使到了戰後，「空氣」依舊猖獗肆虐。不過氛圍的內容不斷改變。戰前的空氣是「大和魂」，戰後則是「民主主義」。在新空氣之中，過去的錯誤必定會以「我當時是迫不得已」的形式被輕輕放下。

連國家意志都能左右的空氣。同儕壓力、現場的氣氛、情緒……雖然可以各種詞彙代換，但現在仍有許多事都可以「空氣」一詞輕鬆解釋。無論在學校、公司還是政府機關都一樣。當然，對於在非日常性當中醞釀而成的「空氣」，並非沒有對抗手段。也就是來自於日常性的「潑冷水」。因此本書接著進入「**『水＝通常性』的研究**」，就此將「潑冷水的自由」轉向，形塑成對「空氣」的自由主義的批評。

然而問題應該是能否跳脫空氣、確保發言的自由才對。本書對此沒有回應，反而主張「**因為本書的主題是研究『空氣』，以掌握其實體為要務**」來逃避。

因為是虛無飄渺的空氣，所以光是「掌握其實體」就是件大工程了嗎？總覺得好像被糊弄過去了。只要批判「空氣」就好，不也是一種「空氣」嗎？

這類討論束縛我們的「無聲的壓力」的作品，印象中還有中根千枝的《縱型社會的人際關係》（タテ社会の人間関係）。兩邊論點同樣稍顯混亂，但對日本人來說仍是很重要的主題。

6. 為日語「空気が読めない」（直譯：不會讀空氣）的縮寫。意指人不會察顏觀色、白目。

● 山本七平（Yamamoto Shichihei，一九二一～一九九一）主要作品有《日本人與猶太人》（日本人とユダヤ人）、《一名異常體驗者的偏見》（ある異常体者の偏見）等。二戰期間於菲律賓成為戰俘，戰後創立山本書店，出版聖經學書籍，並以評論家身分活躍文化圈。發表許多日本社會文化、日本人行為研究，廣泛影響學界與讀者。

這些武器對付的卻是我們人類居住的地球本身。

瑞秋．卡森《寂靜的春天》*Silent Spring*，一九六二年

震撼全世界的環境問題原點

「曾經，美國中部有個小鎮。」──瑞秋．卡森《寂靜的春天》從這樣一句話開始。

小鎮裡有大片豐饒的田園，春天百花盛開，秋季紅葉賞心悅目。鳥兒啁啾，魚兒在河裡產卵。然而某一天之後，出現了異變。家畜病死，死亡的陰影也波及人類。大自然陷入沉默；鳥囀聲和昆蟲的振翅聲，消失無蹤。

本書以強烈而沉重的字句告發殺蟲劑和除草劑等化學藥品對環境造成的危害，並在一九六〇年代震撼了全世界讀者。卡森認為格外嚴峻的危害是DDT等有機氯殺蟲劑，以及巴拉松等有機磷殺蟲劑。她述說這些農藥對水、土壤、植物（農作物）、動物（家畜）等造成的嚴峻影響，寫道：

「化學藥品如今已成為現代的明星利器。……若有人提出長遠影響的警告，只會招來謾罵，指其為杞人憂天的膽小鬼。」

本書出版後已過了半個世紀，也有人指出當中有些內容需要修正，但作為指出環境問題原點的言論價值依舊不變。「化學藥品對基因造成的壓力，不下於放射線。」從這句話也可以看

出，六〇年代全世界大量進行核爆試驗的時代背景。

卡森在最後一章指出：「應用昆蟲學者的觀念和做法，簡直如同處在科學的石器時代。」「原始到幾乎稱不上學問的科學，卻拿到了最尖端的武器，真是一場令人毛骨悚然的大災難。」接著是最後一擊：

「開發出可怕的武器對付昆蟲，然而這些武器對付的卻是我們人類居住的地球本身。」

「科學的石器時代」這樣的比喻怵目驚心。在福島第一核電廠事故之後的今日讀來，更是驚心動魄。本書絕非提出泛泛之論的警鐘，而是以對科學家的批判做出總結。

本書是讓世人重新思考大量使用農藥之惡的全球級暢銷書。一九五五年後的越戰就曾使用枯葉劑[7]，假使美軍看中的是農藥的毒性，只能說已泯滅人性。

7. 又稱落葉劑，美國政府委託農業公司巨頭孟山都研製後，由美軍軍機向越南叢林大量噴灑，導致戰後越南人出現手腳糜爛、畸形兒增多的情況。

● 瑞秋・卡森（Rachel Louise Carson，一九〇七～一九六四）主要作品有《海風下》、《海之濱》、《驚奇之心：瑞秋卡森的自然體驗》。美國作家。研究所畢業後，於美國漁業管理局擔任野生動物研究員。告發農藥危險性的《寂靜的春天》一書大為暢銷，亦為環境保護運動的嚆矢。

我由衷期待年輕人（略）正面迎戰此一課題。

網野善彥《重新解讀日本歷史》

日本の歴史をよみなおす（全），一九九一年

「百姓」並非「農民」

網野善彥出版《重新解讀日本歷史》的時間適逢東西德柏林圍牆倒塌，日本昭和天皇駕崩、年號改為平成以後。之後出版的續集《續・重新解讀日本歷史》（続・日本の歴史をよみなおす，一九九六年）則意外掀起「網野史觀熱潮」。不過這正是面臨時代的巨大變遷，人們對歷史高度關注的緣故。現今市面上的文庫版是收錄正篇與續篇的完整版。

網野史學與我們在學校學到的日本歷史（稻作中心主義）大異其趣。聖德太子是「倭人」而非「日本人」；「百姓[8]」與「農民」並非同義詞，而是意指包括漁民、山中居民、商人、行船人、工匠等許多「非農業民」的概念；四面環海的日本列島並非「孤立的島國」，而是海上交通早已相當發達的重商主義國家；歲貢也不只白米，還包括蠶絲、棉花、紙、金、鐵、馬、鹽等五花八門。

必須先掌握自然與人類之間的關係，才能看見歷史真正的樣貌。歷史的轉捩點出現在約莫十四世紀，此一時期，社會樣貌出現巨變；相較之下，現代正是足堪匹敵十四、五世紀歷史的

重大轉捩點，網野大師如是說。

這本書屬於給青少年的叢書（筑摩BRIMMER BOOKS）系列，結尾也因此附上了給年輕讀者的訊息。

身在歷史轉捩點的現代，包括天皇在內，「日本」這個國家的本質受到質疑。那麼為了實現和平、自由與平等，我們應該做什麼？

「在本書結尾，我由衷期待年輕人能夠學習到遠比我在書中提出的日本列島社會歷史像更為深刻、正確的歷史觀，並且正面迎戰此一課題。」續篇的結語也幾乎一樣：「我由衷期待年輕人懷抱著雄心壯志，正面迎戰此一課題。」

書中內容與戰後的歷史常識大唱反調，其實相當偏激。最後一段也不應該視為行禮如儀的收尾，而應解讀為對後學百感交集的勉勵吧。

現今日本史的教科書依然存在「百姓」這個詞彙（雖然只是「町人[9]與百姓」這種程度而已）。這裡要提醒，將「百姓」視為歧視用語的觀念已經過時了。

8. 「百姓」一詞在日語中泛指農民。
9. 町人指稱江戶時代都市地區的工商族群。

● 網野善彥（Amino Yoshihiko，一九二八～二〇〇四年）主要作品有《日本社會的歷史》（日本社会の歴史）、《古文書歸還之旅》（古文書返却の旅）、《何謂「日本」》（「日本」とは何か）等。歷史學家。就讀東大期間參加學生運動，亦曾參與國民歷史學運動。從民俗學角度研究日本史學，多所貢獻。

日本將會證明（略）帝國主義的侵略企圖，絕非求取榮譽之道。

露絲·潘乃德《菊與刀》*The Chrysanthemum and the Sword*，一九四六年

「恥感文化」真正的意涵是什麼？

美國文化人類學者露絲·潘乃德在《菊與刀》一書裡稱日本文化為「恥的文化」。即使沒有讀過本書，這也是眾所周知的事實。

比如二〇一一年七月八日的眾議院本會議中，公明黨的佐藤茂樹議員便引用《菊與刀》稱日本文化為「恥感文化」的分析，對當時的首相菅直人宣稱「你應該在被烙下史上最糟糕、最無恥的首相的烙印之前，知所進退」，試圖逼迫首相下臺。菅直人則反駁：「推卸一切失敗，試圖逃避責任，有違恥的文化。」

兩人交鋒看似極富學養，但這段對話從本質上就錯了。因為露絲·潘乃德並非認為「恥感文化值得讚賞」。

「過去美國舉國對抗的敵人當中，日本是最為陌生的敵國。」本書以此段文字揭幕。事實上，這本書原本就是奉戰時情報局命令，研究「不可解的日本人」而寫成。日本人深愛藝術，

擁有菊花栽植祕術，卻也崇尚刀劍，重視武士榮譽，同時具有這般矛盾的兩面。作者利用義理、恩、人情等關鍵字，分析「日本文化的形態」。

第十章提到，若說美國的本質是以內在善惡來判斷的「罪感文化」，日本就是依據外在強制力行事的「恥感文化」。但這並非本書主要的主張，著墨也不深；應該要矚目的反而是最後一幕。

作者說：「**現在，日本人將軍國主義視為失敗而終的光明。**」往後發展全端看世界動向。日本關注著他國的動靜，一旦他們發現軍國主義並未失敗，就會再次燃起好戰的熱情。但「**倘若其他國家的軍國主義亦以失敗收場，日本將會證明她如何親身銘記一頓教訓：帝國主義的侵略企圖，絕非求取榮譽之道。**」

以別人的反應來決定自身態度的日本，這近乎於對一個難以抵禦外部壓力之國的諷刺。這正是「恥感文化」的真面目。因此往後若要提「恥感文化」，最好先仔細重讀原著，免得以訛傳訛愈來愈離譜，反而落得恥感的下場。

這本書完全符合船曳建夫《「日本人論」再考》中的評論：惟名聲不脛而走，卻鮮少實際為人閱讀的古典著作。附帶一提，書名的「菊花」並未隱喻天皇[10]。

10. 日本天皇的家徽為菊花紋章。

● 露絲・潘乃德（Ruth Benedict，一八八七～一九四八）主要作品有《文化模式》（*Patterns of Culture*）、《種族：科學與政治》（*Race:Science and Politics*）等。美國文化人類學者。跟隨哥倫比亞大學的法蘭茲・鮑亞士（Franz Boas）學習人類學，後於該校執教。為「文化與人格」（Culture and Personality）研究旗手。

列車穿過早冬那片驟寒的黑暗，一路朝西邁進。

小松左京《日本沉沒》　日本沈沒，一九七三年

一億人疏散計畫的「後日」

日本各地陸續火山爆發、地牛翻身，列島即將沉沒！

我們可以從多面向閱讀小松左京的《日本沉沒》，比如探討最先進的地震科學，或追究政府對災害的態度。故事以察覺列島異變的地球物理學家田所博士，和深海潛水艇操縱負責人小野寺為中心展開，描寫國土危機，以及讓超過一億人口的日本人從列島疏散的極機密計畫，格局壯闊。

相對地，這部小說幾乎沒有私人生活描寫，女性角色也非常少。擁有特定戲分的女性只有兩名，一是在富士山爆發時下落不明的小野寺女友玲子，另一個是銀座的菜鳥女侍摩耶子。

最後一幕，小野寺搭上前往大溪地的船。其實他原本就打算拋下那個計畫，和玲子一起逃亡，然而他身邊的女子不知為何卻是摩耶子。看著因重傷而意識模糊的小野寺，摩耶子述說起外祖母家所在的八丈島始祖傳說：在大海嘯中唯一倖存的孕婦產下男孩，和長大後的男孩交媾，繁衍子孫……

「看到日本了嗎？」「沒有。」「已經沉了嗎……」這樣的對話之後，是大受衝擊的最後

一段：「窗外是沒有半點星光、一片漆黑的西伯利亞夜晚。列車穿過早冬那片驟寒的黑暗，一路朝西邁進。」發高燒的小野寺以為自己身在朝南方前進的船隻上，實際上卻是在西伯利亞的列車裡。

這樣的場面可謂緩和了巨大衝擊（日本列島之死）的「救贖物語」。沉沒的列島和島嶼的創世神話；奮戰敗北的男子和述說希望的女子。在強烈的對比中，由南方大海開展的小說落幕於北方大地。雖然可從文學性的角度，詮釋為宛如失去樂園的亞當和夏娃的故事，但配角少女突然發揮宛如巫女或母親般的存在感，非常不自然。彷彿意味著女性的角色就是成為母親。充滿科學芬芳的小說這過於神話式的結尾，讓人有點掃興。

本書設定的大地震為震度八．五，而東日本大地震是九．〇。儘管作品並未預料核電廠事故，但如今看來這部長篇小說預言性十足，完全不像虛構幻想之作。

● 小松左京（Komatsu Sakyo，一九三一～二〇一一）主要作品有《復活之日》（復活の日）、《時間代理人》（時間エージェント）、《虛無回廊》（虛無回廊）等。大學畢業後從事多份工作，後出道文壇，成為日本科幻小說界的領頭羊。亦寫過許多文明論的非虛構作品。

7

家族的未來

夫妻失和、親子反目、家計艱難。
每一個家庭揭開來都不忍卒睹。

”
沉眠於這片如斯靜謐大地底下的人，或許得不到安息。
——艾蜜莉・勃朗特《咆哮山莊》

儘管明知不可能實現，重松依然望向對面的山，在心中默禱。

井伏鱒二《黑雨》　黒い雨，一九六六年

受輻射感染的外甥女，寫日記的舅舅

具有強烈原爆文學色彩的井伏鱒二《黑雨》，初連載時篇名是「外甥女的婚事」（姪の結婚），是依據原爆受難者的真實經歷和醫師日記改寫而成的作品。

故事這樣開始：「這幾年來，外甥女矢須子日漸成了住在小畠村的閑間重松的心頭重擔。」一九四五年八月六日當天，重松的外甥女就在廣島，因而傳出矢須子可能得到原爆症的流言。但事實上矢須子並未受原子彈波及，原子彈投下後足足五年後的現在依然健康無虞。重松為了讓媒人安心，著手抄寫自己和矢須子當時的日記。

「黑雨」指的是原爆後空中降下含有大量放射性物質的雨。雨水摻雜冒著高溫的硝煙捲起的粉塵，化成黑色的水滴落至地面；一旦淋到黑雨就會遭受輻射傷害。小說中也是，當天矢須子並不在原子彈投下的地點，而是在郊區淋到黑雨。而後她也出現了症狀。

小說以日記內容和抄寫日記的現在，不同時空的故事交替行進，「『原爆日記』就此抄寫完畢。接下來只需檢查一遍，附上厚紙封面就行了。」最後以前去查看養魚池的重松望向山上的場景閉幕。「『如果現在對面的山上出現彩虹，就會發生奇蹟。如果出現七色彩虹而不是白虹，矢須子的病就會好起來。』／儘管明知不可能實現，重松依然望向對面的山，在心中默禱。」

這是略顯畫蛇添足的感慨。不僅情緒化，又過度感傷，而且以「儘管明知不可能實現」一句話彷彿預言外甥女之死，也有點過頭了。

但應該注意的是和「黑雨」呈鮮明對比的「白虹」。「白虹」是重松於終戰前一天，八月十四日所目擊的異象，有人告訴他是凶兆。白虹、七色彩虹、黑雨。自然現象在色彩上的變換，訴諸於敘事者內心的情感。

總之，「黑雨」因這部作品廣為人知也是事實。戰後超過六十年以上，國家終於承認「黑雨降雨地區」原爆受難者的原爆症。

作家對於這部以別人的日記為材料的作品似乎倍感忸怩。可以同時閱讀本書參考資料的重松靜馬《重松日記》（筑摩書房）、豬瀨直樹《Picaresque 太宰治傳》（文春文庫）。

● 井伏鱒二（Ibuse Masuji，一八九八～一九九三）主要作品有《山椒魚》、《屋頂上的沙萬》（屋根の上のサワン）、《本日休診》（本日休診）等。原本立志當畫家，但在愛好文學的兄長勸說之下，加上摯友的死，轉而投身文壇。以《約翰萬次郎漂流記》（ジョン万次郎漂流記）獲得直木獎。和太宰治為師徒關係。

再怎麼寒冷／都不能穿棉袍上山

深澤七郎《楢山節考》 楢山節考，一九五六年

捨姥傳說的背景是什麼？

某座村子有「上楢山」的風俗，年滿七十歲的老者都要「上山（被丟在山上）」去。深澤七郎的《楢山節考》是以捨姥傳說為題材的小說，描寫六十九歲的阿鈴婆準備「上山」的故事。

在少子高齡化社會的現代，書中內容極為應景。出乎讀者意料，堅強的阿鈴婆竟滿懷期待準備「上楢山」；反倒是四十五歲的兒子和兒媳（辰平和阿玉）對於送母親上山感到不捨，不到二十歲的孫兒與孫媳婦（今朝吉和阿松）則一副祖母死活事不關己的態度。若是揭開現代家庭的面貌，應該也是這般場景吧。

相較於想優雅死去的阿鈴婆，阿又爺則拒絕上山。一心活下去的鄰居阿又爺最後慘遭兒子親手推落山谷，這時谷底飛起了大群烏鴉。另一方面，得償所願的阿鈴婆身上降下了白雪。下了雪就能更早解脫，進入極樂之境。孝順的辰平身不由己地犯了禁令，折返回剛拋下的老母身邊大叫：「娘，真的下雪了！」

既然書名都叫「楢山節[1]」考了，這部小說其實也是一部音樂劇。書中交織著許多村裡流

傳的盆踊歌，相關考察占了小說重要的部分。

小說的結尾也是歌。

「再怎麼寒冷／都不能穿棉袍上山。」

歌詞看起來像是告誡人們，要是讓老人穿棉袍上山，他們就沒辦法早點解脫。而在小說裡，阿鈴婆留下的棉袍立刻被孫子今朝吉披上身去。這一幕反映的是必須仰仗祖母「遺產」才能存活下去的村民樣貌。村裡甚至還傳唱著鼓勵村人晚婚的歌：「年過三十不嫌晚／多一人即多一倍。」

年輕人結不了婚，高齡長者被拋棄。一旦歸西，白雪會給予祝福。

《楢山節考》是美麗的故事，但如今我不想為它感動。我想代替阿又爺吶喊：又老又醜地活下去，錯了嗎？

有如捨姥傳說異化版的小說，佐藤友哉的《寂靜墓場》（デンデラ）相當有意思，是一部描寫被拋棄的歐巴桑們存活下來形成社群的異色長篇小說。

1. 「節」在日語中為歌曲旋律之意。

● 深澤七郎（Fukasawa Shichiro，一九一四～一九八七）主要作品有《庶民列傳》（庶民烈伝）、《奧陸的人偶們》（みちのくの人形たち）、《祕戲》（秘戯）等。原本是職業吉他手，以《楢山節考》獲得第一屆中央公論新人獎後成為作家。晚年從事農作，並持續創作。

獎品的大座墊，蝶子每天都拿來坐。

織田作之助《夫婦善哉》

夫婦善哉，一九四〇年

宛如關西版的世話物[2]淨琉璃[3]

說到大阪的代表作家，非織田作之助莫屬。其中又以《夫婦善哉》被公認為最富大阪氣息的小說。故事從出色的一句「**一年到頭都有討債的上門**」展開，不過這是經營小天婦羅店的父母輩的事，主角是他們的女兒蝶子。

大正十二年，成為曾根崎新地藝伎的蝶子與化妝品批發商之子，有婦之夫柳吉一同私奔組成家庭。不料柳吉是個無可救藥的渣男，將蝶子當臨時藝者好不容易攢下來的積蓄揮霍一空，還跑去向早已斷絕關係的老家打秋風。夫妻倆雖然一起賣剃刀、賣關東煮、賣水果，每一樣生意卻都不長久。

某次柳吉離家遲遲未歸，多日後才唱著「現在半七人在何處」淨琉璃的一節返家。蝶子發狠一把將他推倒，最後又心軟寬恕。

直到接近尾聲才出現書名的由來。兩人結縭十二年，在法善寺附近走進一家名叫「夫婦善哉」的店鋪。柳吉向蝶子介紹店名「夫婦善哉」，說是店家為了讓一碗善哉（麻糬紅豆湯）看起來分量多一些，這才分成兩碗端上桌，蝶子應道：「也就是說比起孤家寡人，儷影雙雙更好。」

倘若就此畫下句點，可說是一段鶼鰈情深的美好故事。誰知敘事者又加上一句：「後來，蝶子和柳吉迷上了淨琉璃。」然後是結尾。「柳吉拿蝶子的三味線去唱『太十』，贏了二獎。獎品的大座墊，蝶子每天都拿來坐。」

將丈夫贏來的座墊每天墊在屁股底下，這算是妻子贏了？還是讓妻子染上自己嗜好的丈夫贏了？「太十」指的是淨琉璃劇目《繪本太功記》（絵本太功記）的第十段。最後並非憑空冒出淨琉璃，而是因為沒出息的丈夫、能幹的妻子、拗不過孩子的父母，這些就是關西人情劇的原型；同時也是近世社會淨琉璃的典型模式。換句話說，織田將悲劇性的淨琉璃改寫成喜劇。利用甜滋滋的麻糬紅豆湯和軟綿綿的座墊籠絡妻子的丈夫固然精明，但被籠絡（假裝被籠絡？）的妻子也不遑多讓，這正是所謂「連狗都不理」的夫妻吵架。但以此俗諺來包容這樣的夫妻關係，也是日本特有的文化。

「現在半七人在何處」，是《豔容女舞衣》（艷容女舞衣）中妻子等待花心丈夫回家的橋段。《太十》（太十）以妻子說「請看，光秀大人」，曉諭丈夫的場面聞名。淨琉璃的內容也都是夫婦呢？

2. 世話物指描寫百姓社會生活的題材。
3. 淨琉璃為日本傳統說唱戲劇，以三味線為樂器伴奏，由太夫唸唱章詞故事。

● 織田作之助（Oda Sakunosuke，一九一三～一九四七）主要作品有《星期六夫人》（土曜夫人）、《廣告汽球》（アド・バルーン）、《賽馬》（競馬）等。就讀第三高等學校期間，受到後來成為詩人的同學白崎禮三影響，踏入文學世界。為受矚目的短篇名家，相當活躍，後因肺病於三十三歲病逝。

喃喃說道：「人類真有這麼好嗎？人類真有這麼好嗎？」

新美南吉〈小狐狸買手套〉　手袋を買いに，一九三三年

動搖母性神話的童話？

新美南吉是小學國語課本的偶像作家，小學四年級的必選教材〈小狐狸權兒〉（ごん狐）更是家喻戶曉的作品。但另一方面，也有從教科書上消失的作品；同樣以狐狸為主角的另一篇作品〈小狐狸買手套〉，課本上已經看不到了。

「寒冷的冬天，也從北方來到了狐狸母子居住的森林。」故事從這樣一句話開展。小狐狸埋怨手被雪凍得冷冰冰的，於是母子一起去買手套，但母親臨陣退縮，讓孩子一個人上街去。母親將小狐狸的一隻手變成人類的手，交代說：「要伸出這一邊的人類的手，千萬不可以伸出另一邊的手喔。」

然而不出所料，小狐狸搞錯了，伸出了狐狸的手。但帽店老闆看到錢（錢幣）是真的，依然將手套交給了小狐狸。小狐狸回家後說：「媽媽，人類一點都不可怕。」故事最後一段耐人尋味：

「『咦！』狐狸媽媽十分驚訝，喃喃說道：『人類真有這麼好嗎？人類真有這麼好嗎？』」

故事雖然可愛，但仔細想想仍有許多值得吐槽之處。

為什麼狐狸媽媽不將小狐狸的兩隻手都變成人類的手？加上後腳，手套應該需要兩雙吧？狐狸母子怎麼會有人類的錢幣？還有，為什麼狐狸媽媽讓孩子單獨上街去？這媽媽會不會太不負責任了？於是我們發現：啊，所以〈小狐狸買手套〉才會從教科書上消失。畢竟母親幾乎可說失職了。

但是一聽孩子說「人類真的不可怕」，母親自問「人類真有這麼好？」，就是這部作品發人省思之處。猶疑的母親才是母親自然的樣貌，而且孩子終會超越這樣的母親，離巢獨立。小狐狸經歷了與母親不同的經驗，也就是踏出自立的第一步。換言之，這是一篇摧毀母性神話的童話。我認為比起澈底保護孩子的完美母親，這位狐狸媽媽更富人性多了（雖然是狐狸）。

南吉年僅二十九歲早逝，這是他二十歲的作品；〈小狐狸權兒〉則是他十八歲的作品。令人費解的是，結局悲慘的〈小狐狸權兒〉反倒成為教科書的必選教材。

● 新美南吉（Niimi Nankichi，一九一三～一九四三）主要作品有童話集《花木村與盜賊們》（花のき村と盗人たち）、《繫著牛的山茶花樹》（牛をつないだ椿の木）等。受鈴木三重吉、北原白秋賞識，擔任高女教師之餘創作童謠、小說和詩。逝後出版前述兩部童話集，廣為後世所知。

就如同她們自己的未來，多美毫無頭緒。

向田邦子《阿吽》あ・うん，一九八一年

死黨＋妻子的微妙關係

「門倉修造在燒洗澡水。」這是向田邦子《阿吽》的第一句。

門倉修造（四十三歲）是趁著軍需景氣大賺一波的金屬公司社長，水田仙吉（四十三歲）則是中堅製藥公司的部長。水田一家從之前調去的高松分店搬回東京，門倉為了老友起勁地燒洗澡水，他那期待的心情，清楚地反映了兩人間的友情。一個說「啊」時，另一個已經應聲「吽」，就宛如一對神社狛犬般默契十足，是這樣一對死黨的故事。

但這是大人的世界。兩人雖是死黨，境遇卻大相逕庭。比起門倉修造是個甚至和情婦生下私生子的風流男子，水田仙吉愛妻顧家，還有個年華正好的女兒。雖然沒說出口，但門倉似乎愛慕著仙吉的妻子多美，所謂地下三角戀情成了這部小說的祕密調味。

兩個死黨如「阿吽」的默契，在尾聲瀕臨崩潰，大吵一架後撂話絕交。好不容易言歸於好，仙吉之女里子的男友稱收到徵兵令上門道別。里子在玄關目送男友離去，門倉對她大喊：

「快點追上去！」「今晚不用回來沒關係。」

最後一幕，是被留下的三個大人。多美一邊拿香菸盒的鋁箔紙揉成球，一邊思考：

「她不知道這會變成飛機，還是變成子彈，但這種東西真的對國家有幫助嗎？就如同她們自己的未來，多美毫無頭緒。」

時值中日開戰（一九三七年）前夕。當時流行將香菸盒的鋁箔貼成一顆大球上繳，聲稱可以做成飛機或子彈。

但總教人無法釋然。對於以香菸盒鋁箔紙做成的球的疑問，就像對國家的批判，表明了多美的反戰心境。但戰爭白熱化是再之後的事了。包括年輕的里子，兩個男人和他們的家庭，往後應該還有更劇烈動盪的時局等著他們。這樣的結局是點到為止，抑或作家仍有續集的構思？實在讓人想加上「待續」兩字。

這部作品先有電視劇，然後寫成小説。電視劇由弗朗基堺（フランキー堺）飾演水田，杉浦直樹飾演門倉。或許作者打算寫續集，但後因遭遇空難最終無法實現。

● 向田邦子（Mukouda Kuniko，一九二九～一九八一）主要作品有《父親的道歉信》等。活躍的電視劇作家，寫出《宛如阿修羅》等當紅影劇。後專注創作小説，以〈花的名字〉（花の名前）、〈狗屋〉（犬小屋）、〈水獺〉（かわうそ）得到直木獎，卻在隔年死於空難事故。

啊，咱們真是久違了，武男，一道走吧，好好告訴我你在臺灣的見聞！

德富蘆花《不如歸》　不如帰，一九〇〇年

雖是夫妻，卻是純愛與悲戀

雖說現在已沒什麼人讀了，但不管怎麼說，這部作品都是近代日本的元祖八點檔小說。德富蘆花的《不如歸》可說是明治熱銷名作。

「上州伊香保的千明旅館，三樓的紙門敞開著，一名女子正眺望著向晚的景色。年方十八、九歲，梳著高雅的丸髻，披著碎花皺稠罩衣，上頭是草綠色的紐繩。」開頭如此介紹的女子是女主角浪子，陸軍中將片岡毅的掌上明珠。她的丈夫是海軍少尉川島武男。剛成親的兩人來到伊香保溫泉度蜜月。

然而沒過多久，浪子患了肺結核，在武男出海期間被川島家給休了。一對佳偶就這樣活生生被拆散。「啊，好痛苦、太痛苦了！我下輩子再也、再也不要當女人。啊……！」浪子留下無盡的怨懟死去。兩人雖是夫妻，卻是一段純愛與悲戀。是被不治絕症和門第所阻撓、以明治時代為背景的愛情故事。

但結尾又是如何？武男出征歸返，來到浪子長眠的青山墓地，這時浪子的父親片岡中將現身，拍著他的肩膀說：

「武男，就算浪子死了，你還是我的女婿。你要堅強，畢竟你前途無量啊。啊，咱們真是久違了，武男，一道走吧，好好告訴我你在臺灣的見聞！」

這對岳父和女婿莫名和睦的氣氛是怎麼回事？讓人忍不住想埋怨。要是全書結束在前一句「兩人握住彼此的手，潸然熱淚灑落在墓碑下」，就像催淚八點檔了。但片岡中將和武男都是軍人，而當時正值日清戰爭（甲午戰爭）。在追求富國強兵的時代，要是一直哭哭啼啼可就「不像男子漢」了。

附帶一提，《不如歸》於一八九八年（明治三一年）開啟連載，也是明治民法「親屬」項目公布，正式明文規定一夫一妻制的一年。

雖是夫妻，卻處於純愛模式的武男和浪子，也是民法規定下的配偶。元祖八點檔小說意外地忠於國家方針。

這部小說也成了新派劇的人氣劇碼。浪子的臺詞很有名：「我想要活下去！我想要活上幾千幾萬年！」蘆花在百版紀念版的序文中如此寫道：「這是一部少爺小說。」

● 德富蘆花（Tokutomi Roka，一八六八～一九二七）主要作品有《富士》（冨士）、隨筆《自然與人生》（自然と人生）等。德富蘇峰之弟。在蘇峰經營的「民友社」累積經驗後，寫出《不如歸》、《回憶手記》（思出記）等博得名聲。曾為虔誠的基督教徒，亦為托爾斯泰所傾倒。

玉井金五郎，五十八歲。／玉井滿，五十四歲。

火野葦平《花與龍》　華と龍，一九五三年

白手起家的一生

說到火野葦平，中日戰爭從軍記的士兵三部作（《麥子與士兵》（麦と兵隊）、《泥土與士兵》（土と兵隊）、《花與士兵》（花と兵隊））相當知名。但論精采程度，《花與龍》還更勝一籌。

福岡縣遠賀郡若松町（現北九州市若松區）在過去，是從筑豐經遠賀川運來的煤炭的第一大出貨港所在地。十九歲的谷口滿從廣島的深山，越過關門海峽前來投靠兄長；二十四歲的玉井金五郎則是赤手空拳從四國來到北九州。金五郎說：「我打算以後遠渡大陸，闖出一番事業！」阿滿則擁有這樣的夢想：「我想去巴西經營大農場！」兩人都是門司港的港口工人，在那裡結識，進而結婚，在若松成立玉井組，承攬煤炭的裝貨工作。玉井夫妻對抗當地強盛的賭徒與遊俠風氣，賭上港口工人的生活權而奮鬥著。加上對金五郎一往情深的女刺青師阿京這名冶豔女子，劇情精采跌宕。

可稱為明治篇或青春篇的第一部（上集）最後，以這樣一段文字收尾：「**玉井金五郎，三十五歲。／玉井滿，三十一歲。／玉井勝則，九歲。**」這天是大正三年，若松市施行市制紀念典禮的日子。

相當於昭和篇或立志篇的第二部（下集）最後的閉幕，則在中日戰爭爆發的昭和十二年（一九三七年）七月七日。金五郎爬上市議員的位置。「從此刻起，時代揭開了全新的一頁。當中會誕生什麼樣的夢想，抑或什麼樣的夢想走向破滅，當然無人知曉。／玉井金五郎，五十八歲。／玉井滿，五十四歲。」

玉井金五郎和玉井滿都是真實人物。其實正是作者的父母；長男玉井勝則是火野葦平的本名。不過作品中全無私小說風格的感傷，讀起來宛如娛樂大作。書名「花與龍」來自於金五郎左臂上的刺青圖樣（昇龍與菊花）。年過五旬的金五郎對年輕時的刺青感到難為情，兒子卻由衷嚮往。

這是即將進入黑暗時代前的故事。僅點出姓名和年齡的結尾，宛如刻印著毫不造作的兩人驕傲的一生（也是作者的驕傲）。

電影版的歷代主角為石原裕次郎&淺丘琉璃子（一九六二年）、中村錦之助&佐久間良子（六五年）、高倉健&星由里子（六九年）、渡哲也&香山美子（七三年）。陣容驚人。

● 火野葦平（Hino Ashihei，一九〇七～一九六〇）主要作品有《麥子和士兵》（麦と兵隊）、《陸軍》等。青年時期沉迷於馬克思、恩格斯思想，參與勞工運動。中日戰爭、太平洋戰爭期間，以報導班員身分從軍，寫下士兵三部作《麥子與士兵》、《泥土與士兵》、《花與士兵》和《陸軍》。

千萬別牽扯上我這種人，要避之唯恐不及。

金子光晴《骷髏杯》どくろ杯，一九七一年

災難型情侶的亞洲放浪之旅

從香港經東南亞前往歐洲。聽到這樣的路線，一般會想起澤木耕太郎《深夜特急》的旅程，但這類流浪記的始祖應該是金子光晴。

昭和三年，金子和妻子森三千代出發前往上海，從東南亞到巴黎，進行前後達五年的「**沒有目的地，也沒有錢，在海外四處遊蕩、隨波逐流的旅程**」。

繼《骷髏杯》之後，加上《睡吧，巴黎》（ねむれ巴里）、《東西》（西ひがし），構成自傳旅行記的三部作。

長達五年的旅行啊……可不是羨慕的時候。這對詩人伴侶的關係打從一開始就是災難。金子雖在詩壇備受肯定，卻沒有固定收入，之後認識了就讀女子高等師範的三千代，天雷勾動地火發生關係。然而「奉子成婚」後工作並不順遂，生活窘迫，於是丈夫丟下妻兒在外遊蕩，妻子則結交起小男友。為了讓荒廢的生活重新來過，兩人將孩子託給妻子娘家照顧，離開日本。

可是離開日本之後，兩人卻和一名潦倒的日本藝術家在上海廝混將近兩年。本書結束在兩人從香港前往新加坡，妻子好不容易坐上開往巴黎的船的場景。丈夫因湊不到兩人的船資，只好走陸路追上妻子。

詩人對於如此落魄的自己無言以對，最後寫道：

「能寫詩寫到七十六歲，或許也是基於相同的心態。千萬別牽扯上我這種人，要避之唯恐不及。」

這應該解釋為自負，而非自嘲吧。因為開頭是「明知不會有好結果，但時勢逼人，非硬著頭皮幹下去不可」。成為詩人，打打鬧鬧的歡喜冤家，還有逃避狼狽人生的旅行，過去了四十多年歲月後，一切都成了人生的勳章。全書並未予人炫耀之感，完全是已臻老年的作者熟極而流的筆力使然。

所謂「骷髏杯」，是朋友宣稱在蒙古得到的以人類頭蓋骨做成的杯子。過程蠢爆了的旅行記，結尾卻帥翻！倘若只讀最後一部分，還以為讀的是冷硬派小說呢。

金子以同一場旅程為題材的《馬來蘭印紀行》（マレー蘭印紀行，一九四〇年）也很有名。《骷髏杯》或許寫於旅行記憶依舊鮮明的時期，為青春洋溢的散文詩風格作。

- 金子光晴（Kaneko Mitsuharu，一八九五～一九七五）主要作品有詩集《黃金蟲》（こがね蟲）、《蛾》、《人類的悲劇》（人間の悲劇）等。妻子為作家森三千代。讀過早稻田大學、東京美術學校、慶應義塾大學，但全部中輟。長年在歐洲流浪。其詩作貫徹對軍國主義的反骨意識，獲得矚目。

諾拉啊諾拉，你再也不回來了嗎？

內田百閒《諾拉啊》ノラや，一九五七年

滿腦子只有貓！

內田百閒，又名百鬼園老師。作家予人的印象就是欠債（《大貧帳》（大貧帳））、火車（《阿房列車》（阿房列車））和貓。其中《諾拉啊》更是貓文學史上綻放異彩的一冊。

「貓咪諾拉來到廚房的走廊木板地和起居間的邊界，坐了下來。」《諾拉啊》以這樣一句話開始。「諾拉的名字由來並非易卜生《玩偶之家》的角色『娜拉』[4]。娜拉是女的，但咱們家的諾拉是公的，又是野貓生的，所以叫諾拉[5]。」

諾拉天天都吃小竹筴魚生魚片，還有略為昂貴的牛奶。牠最愛吃外送的壽司蛋捲，和對面鞋店的虎斑貓是朋友。內田夫婦如同日語中「寵溺」的說法「像貓一樣疼愛」，將諾拉捧在掌心裡寵著，可是有一天，諾拉失蹤了。

那天是三月二十七日。此後，百閒滿腦子擔憂著諾拉，直到五月十一日他每天寫日記，內容全是諾拉。他擔心諾拉的安危，鎮日以淚洗面，將街坊鄰居朋友全給扯了進來，印製上千張尋找愛貓的夾報廣告……。即使如此，諾拉依舊沒有歸來。最後，作家終於問起了貓本人：

「諾拉啊，你三月二十七日白天穿過接骨木叢不知去了哪裡。從此以後只要一點風吹草動，我就以為你回來了，引頸翹盼著你今天是不是會回來？你是不是要回來了？諾拉啊諾拉，你再也不回來了嗎？」

《諾拉啊》算是在這裡結束，但後來百閒又寫了隨筆〈諾拉啊諾拉〉（ノラやノラや）、〈灑在諾拉身上的驟雨〉（ノラに降る村しぐれ）、〈諾拉仍未歸來〉（ノヤ未だ帰らず）；在十三年後的《「諾拉啊」》一書中，作家又寫了那時的事：

「昨晚，一想到諾拉沒有回來，瞬間一陣哽咽冷不防衝上咽喉，隨即化成自身毫無所覺的嚎啕大哭，涕泗滂沱，沾溼了枕頭。」

如此毫不保留的深情文字，因為是貓才有可能、也因為是貓才能容許。百閒說，他心痛到無法重讀所寫下的文字，因此文章沒有經過任何推敲或修訂。儘管如此，「穿過接骨木叢」後仍是渾然天成的名文，不愧是大文豪。

諾拉終究沒有回來。後來百閒又養了一隻叫庫爾茲（簡稱庫爾）的貓，但六年後庫爾也病逝。讀到這篇作品而落淚之人，是真正的愛貓人。要小心。

4. 《玩偶之家》娜拉的名字在日語譯名中發音與諾拉相同，皆為nora。
5. 日語的野貓（野良貓，nora neko）發音即為諾拉。

● 內田百閒（Uchida Hyakken，一八八九～一九七一）主要作品有《冥途》（冥途）、《旅順入城式》（旅順入城式）、《特別阿房列車》（特別阿房列車）等。就讀東大期間拜入漱石門下，與芥川龍之介等人熟識。在陸軍士官學校及法政大學等校教授德語，後來專注寫作。擅長獨特的諧謔文章。

得將山岸趕出去。不，在那之前，要先讓美智代……

小島信夫《擁抱家族》　抱擁家族，一九六五年

家庭崩壞的原因是什麼？

小島信夫《擁抱家庭》是一部對話真實到教人背後冷汗直淌的小說。主角三輪俊介四十五歲，從事翻譯，同時也在大學執教；妻子時子較丈夫年長兩歲。兩人有一雙兒女，就讀高中和中學。如此平靜的家庭卻橫生風波，起因只是女傭美智代的一句話：「老爺，太太和喬治……」

喬治是常進出三輪家的美軍小夥子，趁俊介不在家時搞上時子。俊介得知此事後變得驚慌失措，窮追不捨地逼問妻子，妻子卻說「早就想找機會告訴你了」、「求求你別大聲嚷嚷」試圖應付過去，男人只得懷著芥蒂暫且罷手。夫妻倆為了轉換心情，賣掉原本的家，遷到郊外的新居。這時，俊介發現時子得了乳癌……

一般認為，這部作品描寫了美好的傳統日本家庭，逐漸被美軍所象徵的美國價值觀一一破壞的過程。然而美好家庭的瘟神並不是美軍，而是女傭。喬治是美智代帶來的，向俊介打小報告的也是美智代。本書開頭即讓美智代的名字深留在讀者腦海：「**三輪俊介一如往常地想著：自從僱了女傭美智代，這個家就髒掉了。**」背負著「家庭的髒汙」之名的美智子，直到最後依舊從中作梗。時子死後，三輪家不時有外人搬進來同住。一天俊介醒來，不知為何美智代就站

在眼前：「老爺，少爺離家出走了。」

俊介又一次驚慌失措，四處找人。「俊介跑出屋外，衝下坡道。他們家的狗叫了起來。得將山岸趕出去。不，在那之前，要先讓美智代……」

大家長發下豪語「我是一家之主，是這個家的負責人」，卻絲毫沒想過家庭崩壞的主因就是自己。這部作品之所以對文壇造成衝擊，是不是因為當時的文學家或多或少都帶有「俊介」的色彩？

不過看看這結尾，能不能讀成「在那之前，要先讓美智代死」？標點符號「……」帶來的懸疑感絕倫。感覺兩小時電視劇即將緊接著開播。

江藤淳在《成熟與喪失》（成熟と喪失）等評論集中多次提到本作，是備受行家喜愛的小說。現今讀來，比起美國的陰影，俊介滑稽的姿態更為突出。或許就是從這個時代起，家長的權威一落千丈。

● 小島信夫（Kojima Nobuo，一九一五～二〇〇六）主要作品有《美國學校》（アメリカン・スクール）、《分手的理由》（分かれる理由）、《美麗的往日》（うるわしき日々）等。在小石川高中等校教授英語，後於文壇出道。以「第三新人」之一受到矚目。於明治大學執教至退休，期間持續創作。

他忽然想到，不覺害怕了起來，回頭看了地主太太，將那錢「鏘啷」一聲丟進錢包底。

長塚節《土》　土，一九一二年

喪妻的淒慘貧農一家

「等我的女兒長到花樣年華，吵著要聽音樂會、上帝國劇院看戲的時候，我一定會讓她讀讀這本《土》。」這是夏目漱石在長塚節《土》的序文中寫下的一段知名文字。不過漱石也說：「不是因為有趣叫她讀，而是因為太苦了才叫她讀。」弦外之音不言可喻。

「猛烈的西風呼嘯，鞭打著一大團看不見的事物，再次呼嘯著鞭打上去，折磨乾瘦的落葉林一整日。」接續這樣的開頭，小說從一名女子阿品的生活寫起。場景是明治後半，茨城縣一處鄰鬼怒川而建的村子。阿品是貧農勘次的妻子，夫妻倆有個十五歲的女兒和年幼的兒子。佃農的生活極為困苦，勘次去利根川的工地做工，妻子阿品上街賣豆腐和蒟蒻。但是阿品墮掉懷上的孩子以後，便因感染症而死去。手腳不乾淨的勘次則在附近的田地和森林偷起了東西。過了五、六年，勘次接來阿品的父親同住，卻和丈人卯平處不好。

故事才開始就是這種景況。倒不如說，這部小說從頭到尾看不到任何救贖，來到尾聲，一家人遭遇更大的災禍。卯平鬧出牽連鄰家的火災，不但燒掉自家，自己也嚴重燙傷。以燒剩的木頭搭起小屋避寒的勘次走投無路，只好老起面皮去向地主借錢。地主太太是個明理人，但地主家也毀於祝融。「我這是遭了天譴吧。」勘次垂頭喪氣，地主太太也不想再追究，掏出一點銀錢。「**他忽然想到，不覺害怕了起來，回頭看了地主太太，將那錢『鏘啷』一聲丟進錢包底。**」

小說就此結束。勘次害怕的事應該有三件：當前的生活、燒掉地主家的責任、私吞了在焦土中撿到的卯平的錢的虧心事。所以他才會「害怕了起來」。但是看啊，這卑賤的態度！自從阿品死後，勘次便落入一連串的不幸。日本近代文學史上堪稱唯一的貧農小說，甚至不給人潸然淚下的空檔。

書中的對話也全是常總方言。長塚節生於茨城縣的富農之家，並非勘次的貧農出身。但這本書超級寫實，或許是作家從短篇的寫作練習中所培養的觀察力成果。

● 長塚節（Nagatsuka Takashi，一八七九～一九一五）主要作品有《挖地薯》（芋掘り）、《開業醫生》（開業医）、歌集《有如鍼針》（鍼の如く）等。為正岡子規門人，致力創作歌作，亦於同人雜誌《杜鵑》（ホトトギス）發表小說。被譽為確立日本農民文學之作的《土》獲得夏目漱石極高的評價。因結核而早逝。

或許暴風雪又要來了。

三浦綾子《冰點》　氷点，一九六五年

暴風雪是不祥的厄兆

三歲的女兒遇害，嫌犯在拘留室上吊自殺。女兒遇害的醫院院長辻口將嫌犯的女兒收為養女，但這是為了報復外遇年輕醫師的妻子。三浦綾子的《冰點》是連載於《朝日新聞》的徵文小說得獎作，在昭和年間大為暢銷。

故事舞臺是北海道旭川市。院長夫人夏枝後來得知養女陽子是殺害女兒的嫌犯之女，對她處處刁難；長男徹認為只有自己能夠保護妹妹，進而對陽子萌生情愫，可說是連韓劇都要敬畏三分的八點檔狗血劇情。

這部作品博得大眾喜愛的「簡單有力」，呈現在關鍵場面的背景描寫。「連一絲微風都沒有，東方天際的積雨雲在頭頂豔陽下閃耀著……」，如此揭幕的小說，很快在其後的文章染上陰影。就在松林的黑影「看起來正黑黝黝詭異地呼吸著」出現之後，女兒琉璃子這天遇害了。夫妻前去收養陽子那天「強風捲起塵土」；陽子得知自己並非院長夫妻親生女兒的日子，「半夜襲來的暴風雨更加瘋狂肆虐」；夏枝決定向陽子攤牌「殺死我女兒琉璃子的就是妳父親」那天，外頭也颳著暴風雪，「玻璃門不停喀噠作響」。劇情的不祥發展和狂暴的天氣彼此呼應。

那麼，令人好奇的最後一句呢？「玻璃門喀噠作響。不知不覺間，樹林在強風中嘩嘩擺動。或許暴風雪又要來了。」

又是玻璃門、又是不祥的預感。沒錯，《冰點》累積了一堆疑問，最終在陽子自殺未遂、徘徊於鬼門關之際畫下句點。然後如同賣關子的預告，故事延續到《續冰點》，成長後的陽子被捲入更大的風波。

一般都說《冰點》描寫了人類的原罪，但簡而言之就是暴風雪、暴風雪，還是暴風雪。是在暴風雪中波瀾起伏的故事。宛如一來到不祥的場面，窗外就陷入一片陰暗，閃電雷聲大作的電視劇。續篇的結局？將有個雨過天晴般美麗而感動的場面等著讀者。

《續冰點》以長大後進入北海道大學就讀的陽子出生的祕密（她真的是殺人犯的女兒嗎？）為中心展開。最後一幕，陽子看到的是染成鮮紅色的流冰。

● 三浦綾子（Miura Ayako，一九二二～一九九九）主要作品有《積木箱》（積木の箱）、《鹽狩》（塩狩）、《泥流地帶》（泥流地帯）等。終戰後辭去了七年教職。後因罹患結核，專心養病。《冰點》改編電視劇和電影後引發熱潮。發表許多源於基督教信仰的作品。

這對可憐的父女（略）在紅塵之中昂首闊步。

室生犀星《杏子》　杏っ子，一九五七年

「溺愛女兒的父親」和「離婚回家的女兒」的父女無間

「小說家平山平四郎對自己的血統來歷，一無所知。」

這是室生犀星晚年留下的自傳性長篇小說《杏子》的開頭。應是以作家犀星為原型的主角平四郎是個私生子，很快被送到別戶人家當養子，在繼母的虐待中成長。他的幼年時期絕對稱不上幸福。但開頭只是引導，劇情跳過平四郎成為一名成功文學家的歷程，第二章〈誕生〉之後便以長女杏子為中心展開。

敘事者筆下格外生動的是杏子婚後的時光。杏子的丈夫亮吉是個難搞的傢伙，立志成為作家，創作小說的同時亦將岳父平四郎視為勁敵，卻苦無出頭之日，藉酒澆愁，甚至家暴。杏子也是，整天端出父親壓丈夫，夫妻間勃谿頻生，終在四年後勞燕分飛。最後一幕，是回娘家的女兒和父親之間的對話。

女兒說：「從今以後爸都要養我。」父親命令：「今天起妳就是我的搭檔。先去訂做套裝吧！」「好，來去訂做。」「看電影、看戲、喝茶，什麼都行，這四年全玩回來！和我一道出門去！」「樂意之至。」

這是在做什麼？父親簡直像得到了年輕的祕書還是小女友，而女兒也是一副開心地接納父親的態度。杏子說：「沒了男人多爽快！簡直像脫胎換骨。」

「這對可憐的父女乘上車子，又下了車子，上了這街，又去了別街，對另一人微笑，或是不笑，在紅塵之中昂首闊步。」

紅塵即都會的塵埃，引申為俗世之意。出身不幸的父親與婚姻失敗的女兒，或許確實是一對「可憐的父女」，但是最後大爆炸的父女無間是怎麼回事？「故鄉是在遠方緬懷之處」，這是犀星知名的詩作一節；但是對杏子來說，娘家並不在「遠方」。倒不如說，父親希望女兒務必留在「身邊」。節奏十足的最後一句充滿詩意，卻也樂不可支。彷彿可以看見將女兒搶回身邊的父親那得意洋洋的嘴臉。

杏子的原型人物室生朝子（一九二三～二〇〇二）在父親逝後成為散文家，留下傳達犀星貢獻的年譜及作品。她無疑正是優秀的「父親的女兒」。

● 室生犀星（Muro Saisei，一八八九～一九六二）主要作品有《對性覺醒時》（性に目覚める頃）、《兄妹》（あにいもうと）、詩集《抒情小曲集》（抒情小曲集）等。出生後被送進窮寺院裡當養子，十二歲時外出工作，並持續創作。與萩原朔太郎、芥川龍之介等人多所交流。於詩和文學領域皆留下卓越名聲。

（忽然湧現希望）奇蹟中的奇蹟?!

易卜生《玩偶之家》 *A Doll's House*，一八七九年

全世界男女最平等的國家前史

明治末年的日本將女性解放思想稱為易卜生主義。《玩偶之家》是挪威劇作家易卜生的三幕劇。

故事以律師海爾茂及其妻娜拉為中心展開。這對夫妻結縭八年，育有三個孩子。海爾茂爬上銀行經理的位置，歡天喜地，但娜拉瞞著丈夫一個祕密。過去丈夫病倒時，家裡借了許多錢，那時娜拉在借據上動了點手腳。後來娜拉因此事遭到丈夫的部下勒索。她內心懷著曾將丈夫救出窮病困境的驕傲，試圖與丈夫溝通，丈夫卻不予理會。他只是稱妻子「我可愛的娜拉」、「我的小雲雀」，擁抱她，想要她對自己撒嬌。書中所說的「玩偶」，不是任由丈夫操縱的傀儡、也不是漂亮的裝飾品，而是孩子的玩具「嬰兒娃娃」。

妻子厭倦於繼續當丈夫眼中的可愛小女孩，於是坦承一切，將希望寄託在丈夫的反應上。然而奇蹟並未發生。丈夫一發現情況危及自己的地位，便咒罵起妻子來。

妻子脫下玩偶的面具。「你從來不願意了解我。」「你根本不愛我。你只是甜言蜜語，將我逗著玩罷了！」

然後是知名的最後一幕。丈夫好說歹說，妻子卻拋下一句「再見」離開。丈夫大喊：「娜拉！娜拉！不見了。她走了。」

本以為就此全劇終，但海爾茂補上了最後一句臺詞：

「（忽然湧現希望）奇蹟中的奇蹟?!」

這句話呼應先前娜拉說過兩人要破鏡重圓，除非發生「奇蹟中的奇蹟」。那麼，丈夫是否理解了「奇蹟」的含意？或只是傻呼呼的獨白？

雖然有人說這部作品描寫的是人性尊嚴，而非女性獨立。但我想還是坦然看待探討性別糾葛的戲劇比較好。看看最後一句臺詞，丈夫一副努力挽回妻子的模樣。沒錯，海爾茂什麼都不明白。如果他明白，應該會在絕望中放棄。挪威是全世界首屈一指的男女平權國度。想到這是她的前史，便讓人感慨良多。

每年公布的「男女平權指數」排行榜中，挪威總是名列前三名（日本則是一百名左右）。這應該是後世的海爾茂們加以反省後的成果。

● 亨里克・易卜生（Henrik Johan Ibsen，一八二八～一九〇六）主要作品有《布朗德》（*Brand*）、《培爾・金特》（*Peer Gynt*）等。挪威劇作家。家道中落，幼年時期生活貧困，後來成為劇作家，享譽世界。被譽為近代戲劇之父，也對日本自然主義文學的勃興有著深遠影響。

「我們倆沒有什麼好怕的。」

賽珍珠《大地》 *The Good Earth*，一九三五年

舞臺在中國，結尾很美國

貧農出身，力爭上游成為大地主的第一代（第一部《大地》）；以父親留下的財產為資本，各自活得恣意妄為的第二代（第二部《兒子們》）；反抗以軍人身分出人頭地的父親，追求自由之路的第三代（第三部《分家》）。

賽珍珠的《大地》是以辛亥革命（一九一一～一二年）前後的中國為舞臺，跨越三代描寫一個家族的歷史浪漫劇。雖說是長篇三部作，讀起來卻毫無窒礙難解之處。

主角三代和女人之間的關係亦反映了時代。第一部的主角王龍出身貧窮，討不到老婆，後來娶了地主黃家的女僕阿蘭為妻。阿蘭並不漂亮，卻勤勞能幹，一家逐漸發達起來；然而大男人主義的王龍卻迷戀起二房。第二部的主角三男王虎反抗父親，離家從軍，後因心上人被父親搶走而憎恨起女人，比起女人，更想要後代，於是一口氣娶了兩名妻子。

相較於大老粗的祖父和血氣方剛的父親，第三部的主角王淵是個相當軟弱的草食系男子。王淵厭惡戰爭，寧可務農。不料他遭密告為革命黨員被逮捕，而後逃亡美國，回國後被邀請加入革命軍，卻又舉旗不定。這時，清純美麗、立志成為醫師的女子美齡出現在王淵面前。

若說第一部是寓言風格，第二部是冒險劇風格，第三部就是以苦惱青年為主角的青春小說風格。

證據（？）就是，結尾居然是一場吻戲！

王淵辯解著：「我剛才的行為是一種外國禮儀。如果妳不喜歡的話……」，美齡打斷他：「外國禮儀也並非全然不好。」

王淵心花怒放。接下來激情衝破天際。

「我剛才究竟在怕什麼？／『我們倆，』他說：『我們倆沒有什麼好怕的。』」

王淵對於未來的不安，由於這件事而釋然了。正是「戀愛萬歲！大地（農業）萬歲！」的結局。舞臺雖然在中國，結尾卻無比美國。

這部文庫本全四冊的大作，長年來都是日本國高中生的必讀書目。或許是因為它健全而積極的結尾。

● 賽珍珠（Pearl Sydenstricker Buck，一八九二～一九七三）主要作品有《戰鬥的天使》（*Fighting Angel*）、《流放者》（*The Exile:Portrait of an American Mother*）等。美國作家。隨傳教士父母一同前往中國，長年旅居。以《大地》獲得普利茲小說獎，成為人氣作家，一九三八年獲頒諾貝爾文學獎。亦致力投入和平運動。

我納悶著誰想像得到，沉眠於這片如斯靜謐大地底下的人，或許得不到安息。

艾蜜莉．勃朗特《咆哮山莊》*Wuthering Heights*，一八四七年

未完結的復仇劇

復仇劇形形色色，其中最強的一本當屬艾蜜莉．勃朗特的《咆哮山莊》。恩肖家有一對兄妹，亨德利與凱瑟琳。一天，父親帶了孤兒希斯克里夫回家，之後三名男女盡數捲入愛恨情仇的波瀾，山莊裡幾乎形同地獄。亨德利從小就對希斯克里夫滿懷敵意。凱瑟琳雖然受到狂野的希斯克里夫吸引，卻仍然與鄰家的埃德加結婚。希斯克里夫發誓向兄妹復仇，奪取咆哮山莊周圍的土地，支配起恩肖家。

《咆哮山莊》也以其特異的敘事結構聞名。敘事者「我」——洛克伍德向希斯克里夫租屋，訝異於他奇特的氣質，並從一名從小看顧三人長大的女傭奈莉口中聽聞恩肖家的過去。故事結構說起來類似週刊雜誌的報導。聽完奈莉的故事，洛克伍德得知希斯克里夫猝逝的消息，前往他的墓地致意，小說就結束在這裡。凱瑟琳與其丈夫埃德加，還有希斯克里夫的墓。洛克伍德行走在這三座並列的墓地旁。

「我在平靜的天空底下，漫步於墓地周圍，望著在石楠與蘭鈴花間穿梭飛行的蛾，聆聽著微風吹動草葉。我納悶著誰想像得到，沉眠於這片如斯靜謐大地底下的人，或許得不到安息。」

換成影像作品，就是配上動聽的音樂，播出片尾名單的場面。

但仔細想想，故事並非到此「全劇終」。《咆哮山莊》之所以稱做最強的復仇劇，是因為希斯克里夫的復仇並未一代就結束，而是傳承到下一代，女兒和兒子的世代（凱薩琳的女兒和母親同名，也叫凱薩琳；亨德利的兒子哈里頓；還有希斯克里夫的兒子，死去的林敦）戲碼仍在上演。所以這些人無法安息。

希斯克里夫（Heathcliff，石楠之崖）這個名字中的石楠，據說是這一帶荒地群生的植物總稱。儘管最終結束在平靜的天空和煦煦微風之中，卻教人倍感陰森。

咆哮山莊的原書名「Wuthering Heights」，意思是咆哮高地，是那棟山莊的名字，日文版亦有「嵐莊」或「暴風亭」等譯法。但現在已經找不到超越「暴風山丘」（嵐が丘，據説是英語學者齋藤勇所譯）的名譯。

- 艾蜜莉・勃朗特（Emily Brontë，一八一八～一八四八），英國作家，勃朗特三姊妹的次女。《咆哮山莊》為其唯一的作品。因姊姊夏綠蒂的《簡愛》（*Jane Eyre*）大受歡迎，順勢出版《咆哮山莊》後卻未受矚目，死後作品才大獲好評。年僅三十歲即早逝。

柯利亞再次激動地大喊，少年們皆齊聲附和他的呼喊。

杜斯妥也夫斯基《卡拉馬助夫兄弟們》 *Бра́тья Карама́зовы*，一八八〇年

宛如序曲的最後一幕

杜斯妥也夫斯基的《卡拉馬助夫兄弟們》是二〇〇七年因推出龜山郁夫的新譯版（光文社古典新譯文庫）而重燃人氣的巨作。性情豪邁的長男德米特利、虛無主義的無神論者次男伊萬、虔誠的修道僧三男阿萊莎，還有私生子斯米爾加柯夫等人，故事以誰殺害了父親費堯多爾為核心展開。

這是文庫全四至五冊的大作。內容包括德米特利蒙上弒父的嫌疑，被流放西伯利亞前的經緯；以他為中心的兩名女子，卡捷琳娜和格露莘卡；以及伊萬向阿萊莎述說的「宗教大法官」章節。除了錯綜複雜的故事，再加上錯綜複雜的議論，讀完全書後的成就感非同小可。不過這部小說其實是謎上加謎。喜歡神學議論的人老是談論「宗教大法官」的部分，然而終章也神祕無比。

在少年伊柳沙的葬禮場景，少年們為朋友之死哀悼嘆息。此時阿萊莎說道：「各位，我們很快就要各分東西。」表示自己的大哥遭流放，二哥在病榻上垂死，他也打算不久後離開此地。

但是他要少年們別忘記，今日為了伊柳沙齊聚此地的事。

少年們感動不已，原本對伊柳沙的稱讚，在一名自稱社會主義者的神氣少年柯利亞登高一呼之下，轉變為對阿萊莎的讚揚。「『我們要像這樣手牽著手，直到永遠，直到死去！卡拉馬助夫萬歲！』／柯利亞再次激動地大喊，少年們皆齊聲附和他的呼喊。」

雖是符合結尾的亢奮場面，卻無法否認「卡拉馬助夫萬歲！」的歡呼予人唐突感。突然展開演講的阿萊莎和崇拜他的少年們，宛如新興宗教的教祖和信徒，要不就是政治結社的首領和成員。善良的阿萊莎是何時得到這樣的群眾魅力？是因為隨兄長們而來的重擔消失，獲得自由的緣故？還是受少年們崇拜的自信使然？倘若如此，三男內心想必早已極度扭曲。而且，這場起義聚會讓人預感這群人之後將會幹下某些事。安排於結尾的阿萊莎的變化，不管怎麼看都只是序曲。

《卡拉馬助夫兄弟們》是未完的大作。譯者龜山郁夫於二〇一五年發表《新卡拉馬助夫兄弟們》，並在開篇的作者序提到，這是阿萊莎與柯利亞等人活躍的「第二部小說」序章。

● 費奧多爾・杜斯妥也夫斯基（Fyodor Dostoyevsky，一八二一～一八八一）主要作品有《罪與罰》、《白痴》等。俄國作家。處女作《窮人》備受讚譽。後遭官兵逮捕，流放西伯利亞。出獄後旺盛地寫作，對後世文學留下極大的影響。

（龍子）匆匆忙忙，卯足全力轉動手柄，磨起茶渣來……

北杜夫《楡家人》　楡家の人びと，一九六四年

一家支柱是堅強的長女

有段時期，「曼波魚大夫航海記」系列的人氣教人嘆為觀止。但說到北杜夫的代表作應該還是《楡家人》。

精神科醫院楡醫院（帝國腦病院）位於東京青山。「**楡醫院後方的廚房正為了準備午膳而一片兵荒馬亂。廚房裡並排著四只二斗容量的大飯鍋，得準備近百名家人職員，以及兩百三十多名病患的餐點。**」從這樣的開頭也可一窺醫院的偉容。以從山形來到東京，一代便建起這家大醫院的楡基一郎和其女兒世代為中心，故事描繪大正、昭和時代的家族史。

長女龍子繼承父親遺志，掌管一家大小事；次女聖子忤逆父親，戀愛結婚；三女桃子一度踏入不合意的婚姻，後來選擇了不同的人生。楡家的女兒們個個意志堅定，相較之下，登場的男主們全都不太牢靠。長男歐洲多次落榜，好不容易當上醫師，回到楡醫院後卻耽溺在自身嗜好，對經營醫院毫無興趣；未踏上醫學之路的次男米國明明身體健康，始終堅稱自己有病；原本寄住楡

醫院工讀，後來成為龍子丈夫的徹吉則是個學究型人物，對家人和醫院並未抱持太多感情。醫院終在時勢變遷之下，因戰爭而被迫關門。戰敗隔年，龍子看著恣意妄為的孩子們心想：「丈夫已經沒救了。這三個孩子也沒一個可靠。」但她還是不放棄復興醫院的夢想。

小說最後，湧出「無來由的憤怒」的龍子突然以研磨機磨起曬乾的茶渣。

「龍子昂然抬首，咬住下唇，就像要挑戰哪來的人物一般，匆匆忙忙，卯足全力轉動手柄，磨起茶渣來……」

這與開頭描寫大正時期榆醫院的廚房，可說天差地遠。

這部小說對家族中任何一人都未顯露特別的感情。敘事者完全站在批判的位置，不管再悲慘的插曲，也都散發出滑稽的況味。結尾的龍子也顯得有些滑稽。在描寫家族沒落古今東西的作品中，本書毫無疑問是頂尖之作。可說是廚房觀點的勝利。

這是以作者家族為藍本的全三冊長篇小說。龍子的原型人物是齋藤輝子，丈夫徹吉是齋藤茂吉。作者宣稱靈感來自湯馬斯・曼（Paul Thomas Mann）的《布登勃魯克家族》（*Buddenbrooks: Verfall einer Familie*）。

● 北杜夫（Kita Morio，一九二七～二〇一一）主要作品有《在夜與霧的角落》（夜と霧の隅で）等。歌人齋藤茂吉的次男。身為醫師，於餘暇持續創作，以半年的船醫體驗為題材的《曼波魚大夫航海記》（どくとるマンボウ航海記）打開知名度。「曼波魚大夫航海記」系列的散文特別受到歡迎。

然而，現在他的身心都和他的孩子們一樣，渴望休息。

葛西善藏《帶著孩子》　子をつれて，一九一八年

過度坦率的窮作家

說到自滅型作家，許多人應該會先想到太宰治。但同樣出身青森縣的前輩作家葛西善藏，在自虐上可是更奮不顧身。他以自身和親人為題材，專寫私小說，三十歲時寫下成名作《帶著孩子》。

窮作家因積欠房租而被趕出租屋處。妻子似乎帶著小女兒去娘家打秋風。窮作家無可奈何，帶著讀小學的兒子和學齡前的女兒落得流離失所、在夜晚路上遊蕩的窘境。書中以「他」來代稱的作家，床頭金盡便向朋友借錢，一有錢就拿去喝酒，毫無金錢觀，根本是個不合格的父親。

結尾也充分展現出男人的無用。在夜風中，「他」想起友人的忠告。「會搞到活不下去的！腦中浮現說這話的K的臉、警部的臉——但實際上，真有這麼誇張嗎？／『……不過，若也拖累了孩子們呢？』」轉念至此，「他」終於領悟到事態的嚴重性。「沒錯，這肯定是可怕的

事！／然而，現在他的身心都和他的孩子們一樣，渴望休息。」

渴望休息……？該說他是過於坦率，還是太老實了呢？

但另一方面，窮作家還是會寵小孩，「打掃、煮飯、端出糠味噌，張羅孩子們用完晚飯後，他才端著膳臺到夕陽西下的簷廊旁邊，懷著淒涼的心情啜飲晚餐的小酒」，這樣的開頭，根本就是辛勞育兒的爸爸。被趕出家門之後，一個人上酒吧喝酒，卻也不忘大手筆請孩子們吃壽司和炸蝦。簡而言之，「他」就是個大孩子。

孩子沒有過去，也沒有未來，只有當下。作家以「他」自稱，刻意強調幼兒性來書寫；結尾最後一句也像等人來吐槽。不過至少他還「帶著孩子」，沒有「棄子」，還算有救。作品發表的一九一八年正值第一次世界大戰期間，物價雖高，景氣依舊繁榮。但壓根兒不打算工作的「他」也和景氣無關就是了。

葛西後來和妻子離異，與其他女人同居。他有名的說法是「生活的破產、身為人的破產，我的藝術生活便由此展開」。可說已臻私小說自虐嗜好的極致。

● 葛西善藏（Kasai Zenzo，一八八七～一九二八）主要作品有《浮浪》（浮浪）、《蠢蠢欲動者》（蠢く者）、《湖畔手記》（湖畔手記）等。前往東京後，和谷崎精二等人創辦同好雜誌《奇蹟》（奇蹟），以《悲哀的父親》（悲しき父）打開知名度。帶著家人往返東京和故鄉青森之間，在貧窮生活中持續創作，於四十一歲逝世。

圭一郎在床上輾轉反側。

喜村礒多《業苦》　業苦，一九二八年

發憤挑戰私小說，但……

嘉村礒多是寫出《帶著孩子》的葛西善藏的弟子作家。原本在雜誌擔任記者，曾為晚年的葛西記錄口述筆記，後來也發表小說。

《業苦》即是嘉村三十歲時，在當時算晚的文壇出道作。和師父一樣，他以個人生活為題材，還是個毫不遜於師父教人傷透腦筋的傢伙。

圭一郎在東京和一名叫千登世的女子同居，收到妹妹自故鄉Y縣（山口縣？）來信。「哥這個人實在太罪孽深重了。你還算是個人嗎？」

事實上，圭一郎拋下老家的妻子和年幼的兒子，和關係匪淺的千登世私奔東京。妹妹因而責怪哥哥不妥善處理和兩名女子的關係。但妻子咲子也非省油的燈，聲稱除非圭一郎拿出一萬圓賠償金，否則不肯離婚。不過，圭一郎會對咲子愛情盡失，是因為發現她在婚前曾經和別的男人交往。

「圭一郎疑心起來。一旦疑神疑鬼，便再也停不下來。／『咲子，結婚那時，妳真的是處女嗎？』／『沒頭沒腦問這是什麼話……沒禮貌。』」

簡直爛到家了，難道沒有更像樣一點的爭吵火種嗎？

雖然一副自滅的模樣，但由此類推，嘉村會不會其實是個憨直且恪守常識的人？這一點也反映在結尾。生活過度窮困之下，千登世憔悴消瘦，一臉蒼白地睡著了。比起留在故鄉的妻兒，圭一郎對千登世更加感到罪惡和憐憫。但敘事者又說「然而下一秒鐘，又陷入茫然自失的情緒之中」。

「到底該如何是好？又能如何是好？圭一郎在床上輾轉反側。」

結局意外普通。在床上翻來覆去罷了，絲毫不讓人驚訝。圭一郎的薪水雖微薄，好歹有份穩定的工作，老家又是地主，只要回家，生活絕對過得去。但所謂私小說，就是要讓讀者傻眼至極才有價值的「炫耀有多渣」的世界。在這一點上，作家完全看不見師父的車尾燈。

續集《崖底》（崖の下）描寫為了留下的孩子，與千登世之間的小爭執；晚年的《神前結婚》（神前結婚）描寫兩人的後續。擷取自己人生的方式也相當一板一眼。

● 嘉村礒多（Kamura Isota，一八九七～一九三三）主要作品有《比腳力》（足相撲）、《崖底》、《滑川河畔》（滑川畔にて）等。出身富裕的農家。與第一任妻子不合，偕其他女子私奔東京。為葛西善藏記錄口述筆記，以《途中》（途上）一作確立私小說作家地位。罹患結核過世。

想不到任何手段，讓這件事罩上了危險的陰霾。

島尾敏雄《死之棘》　死の棘，一九七七年

以夫妻吵架來說未免太駭人聽聞

外遇的丈夫，以及責備丈夫外遇的妻子。內容僅是如此而已，卻成了日本文學史上綻放異彩的名作，這就是島尾敏雄的《死之棘》。

某天「我」外宿午後回家，書桌、榻榻米和牆壁四處濺滿墨水。似乎是妻子偷看了「我」的日記。從這天起，「我」過著地獄般的日子。

「我算是你的什麼？」「妻子。」「我這樣還能叫做妻子嗎？你當我是妻子嗎？」面對無休無止的盤問，「我」只能低聲下氣，不斷賠罪。後來妻子精神出了問題，生活再也維持不下去。夫妻勃谿也影響到六歲的兒子和四歲的女兒，逼得年幼的兄妹嚷嚷「別再說什麼家庭因素！」這種話來。

這究竟是家庭戰爭小說、究極的恐怖小說，還是純文學界的SM小說？倘若站在妻子的角度，就是沉浸在嗜虐情緒中；若同理丈夫的心情，則彷彿陷在被虐的情感裡。換算成時間，是僅僅不到一年之事，作家卻從一九六〇年到七六年，花了十六年光陰，以連作的形式一點一滴持續發表。

小說在妻子二度送進精神科病房大樓，「我」進入醫院陪伴後暫時落幕。假使兩人在隔離病房生活，「我期待或許有望展開新的生活。但要如何讓妻子放棄取回信件？想不到任何手段，讓這件事罩上了危險的陰霾。」

住院之前，妻子才剛懇求（恐嚇？）「我」將寫給女人的信全部拿回來。也就是說，勃谿仍在持續中。

「我」——丈夫敏雄三十九歲，妻子美帆三十七歲。雖然是基於作家真實體驗的私小說，但以夫妻吵架來說，怵目驚心的問答也未免過於逼真，甚至散發著自虐式幽默。

從田山花袋《棉被》展開的私小說系譜，可說在質量兼具的《死之棘》畫下了句點。畢竟這是讓讀者（以及文壇）大受震撼的夫妻戰爭。在意另一半手機內容的你，已經做好變成這般怨偶的心理準備了嗎？

島尾敏雄以特攻隊隊長身分前往奄美群島加計呂麻島赴任，在那裡認識妻子美帆並結婚，但小說裡完全沒有提到這件事。可以和《「死之棘」日記》等資料文獻一併閱讀。

● 島尾敏雄（Shimao Toshio，一九一七～一九八六）主要作品有《日子的變遷》（日の移ろい）、《海灣內》（湾内の入り江で）等。在奄美群島加計呂麻島以特攻隊指揮官身分等待出發命令時，迎接日本戰敗。其後旺盛地寫作。《死之棘》中的妻子原型人物為作家島尾美帆。

關於名作的收尾

封閉式結局、開放式結局

粗略說來，小說的收尾可以概分為兩類：「封閉式結局」（Closed Ending）和「開放式結局」（Open Ending）。

封閉式結局，即作品中提出的一切問題都獲得解決並落幕，圓滿收場。不管是好結局（團隊克服困難、達成目標、有情人終成眷屬等）或壞結局（主角死於非命、家破人亡等），好歹都是結局。傳說、神話、童話等多屬此類。現在的娛樂文學也幾乎是這種類型，可說是古典的形式。

相較之下，開放式結局則是「未完的故事」。都來到最後一頁，事件卻仍未解決；主角的未來還懸在半空中，小說就結束了。若要說不負責任，的確不負責任，是讓讀者得不到滿足的結束方式。不過，開放式結局是交由讀者判斷，讀者可以對作品做出多種詮釋。此外，由於迴避了結局，讀完之後會留下獨特的餘韻。在純文學，尤其是中短篇作品中，開放式結局是主流。算是較新穎的形式。

以上是依作品結構做出的分類。若只看最後一句其實無從分類起（更基本的問題是，要定義「最後一句」看似簡單，實則困難）。但即使明知困難，還是可以歸類出幾種形式：

風景「大顯身手」的收尾法

「小陽春的明媚陽光傾灑在山腳的村莊。」（《黃昏清兵衛》）

「如今苦力亦絕跡已久的野麥峠上，只留下地藏菩薩像在竹原裡祥和地微笑著，述說著人世間虛渺的歷史。」（《啊，野麥峠》）

無論是小說、非小說或散文，只要最後放上風景的描寫（包括聲音），就令人大呼神奇，瞬即營造出「滿滿的文學氣息啊！」的氛圍。這是因為風景描寫具有鎮定激動情緒、緩和不安且減輕故事喧囂的力量吧。一如電影或電視劇最後會以美麗的風景或靜謐音樂收場，是同樣的道理。

也可以在風景描寫加上「人的觀點」。

「大海的色彩瞬息萬變，而她無休無止地眺望著。」（《紀之川》）

「他注視著玻璃窗外的初夏綠葉。」（《關東大地震》）

也就是遠眺（注視）風景之人。人的內心中當然有著對過去的惜別，或是對將來的不安等感慨，但不直接點明，而是寄寓在角色的視線當中。是一種婉轉的技巧。

「穿過縣界漫長的隧道，便是雪國」和「木曾路整段都在山中」，這兩句廣義來說也是風景描寫。但它們肩負的任務是讓讀者了解即將展開的故事舞臺（環境、背景）。相對地，結尾登場的風景是更為精確的。風景賦與了故事深度和耐人尋味之處。極端一點說，什麼都可以描寫。

假使你也寫作，卻不知道該如何收尾，不妨來段風景吧：「外頭正吹著風」、「天空無限蔚藍」、「我注視著遠山」。

若以音樂來譬喻，可以收到近乎最終樂章coda（尾聲）的成效（恕不保證）。

■人「再加把勁」的收尾法

然而光以風景收尾，等同於強勢為故事拉下布幕，說來也算「矇混」。倘若不想草草端出風景過關，只好請角色「再加把勁」了。

也就是「遠眺（注視）的人」的變形版。

「然後，我穿過被電影看板畫點綴出詭奇趣味的京極大街離去。」（〈檸檬〉）

「（三四郎）只是口中反覆喃喃著：迷途羔羊、迷途羔羊。」（《三四郎》）

「他知道能克服這次危險，靠的是自己的力量。」（《潮騷》）

走路、喃喃自語、說話、思考。以人的活動、狀態或思索來結束故事，就能營造出「故事雖然在此告一段落，但他／她的人生仍然持續下去」、仍在行進之感；以角色的臺詞或信件結束也屬於此類。若是最後放入讓人預感新發展的行動，更能強調「在路上」的行進感。

「但是，他父親差不多也要嘮叨起他畫畫這件事了。」（〈清兵衛與葫蘆〉）

「阿島也這麼對順吉說，暗示她這陣子內心的盤算。」（《狂暴》）

後來他／她怎麼了呢？這類可以炒熱「開放式結局」的氣氛，是戲劇性十足的收尾。

不過最為戲劇性的收尾，應該是這些赤裸裸灑落淚水的結局：

「兩人就此忘懷一切，哽咽對泣，流下感動的淚水。」（《恩仇之外》）

「早苗突然趴到益野的背上，啜泣起來。」（《二十四隻瞳》）

收場時搬出眼淚，反而會削弱行進感，加強故事「閉幕」的氣氛。即是所謂的淨化作用（catharsis）。不禁覺得賺讀者的眼淚就罷了，你自己哭什麼哭啊？但不管怎麼說，眼淚都是最強的武器。

敘事者不甘寂寞的收尾法

「生而為人，不應排斥與人為伍。」（《勸學》）

「這裡是明亮得耀眼的黑暗國度。」（《紀州》）

評論或散文原本就以敘事者為主體。因此在最後提出論者的主張，對世人的警句、提問，或是給讀者的訊息等等，反倒顯得很普通。但只要運用得當，也能成就福澤諭吉那樣的知名金句。

小說當中，意外地有不少原本如同「透明人」般的敘事者，尾聲附近突然冒出來搶鋒頭，說出自己的想法或評論角色。一種是陳述「相識者的身世」的敘事者，在最後方發揮「本色」

的情況。《咆哮山莊》、《月亮與六便士》、《大亨小傳》等皆歸屬這一類；另一種是敘事者直接向讀者辯解：

「故讀者毋需妄加揣測。」（《雁》）

「千萬別牽扯上我這種人，要避之唯恐不及。」（《骷髏杯》）

就像舞臺上的演員突然對著觀眾說起話來，會讓讀者嚇一大跳。但如此一窺假裝冷靜的敘事者的感情，也頗有意思。

以向讀者道別收尾的作品，讀起來有種樸拙感，也可說是拋棄了矯飾。這些看似辯解或自我主張的箴言，就看在作家的熱情上不予計較吧。

如何畫下句點

引用其他書籍內容或詩句、交代後續、呼喚「神啊」、預告續集等……除了這些之外，作品結尾還有各種多采多姿的形式。

再怎麼說，都是點綴全篇的最後一幕，一開始我也並非不抱期待，覺得肯定會是精采的名文。但說起結論，有著「擲地有聲」的收尾之作反而寥寥無幾。有些作品讓人覺得：「這、這樣就完嘍？」有些則讓人覺得：「這句不會太畫蛇添足嗎？」第一句就緊扣讀者的心，最後一句也精采俐落，留下華麗的身影告別舞臺；即使如此希望，但寫書一如人生，絕不會那麼順利。

無論形式如何，結尾都注入了作者的部分心血，這一點是無庸置疑的。任何作品都是起頭容易收尾難。本書介紹的作品當中，也有幾部是未完而終。有時書還沒收尾，人生就先到了尾聲。來到最後一句時，總會掠過「終於走到了這一步」的感慨，當然會想寫下類似「燦爛的朝陽傾灑在徹夜未眠的我的書桌上」這種句子吧。

書中內容來自《讀賣新聞》晚報的連載專欄「名作要從最後一句開始讀」（二〇〇九年四月至二〇一一年十二月），後將內容大幅修改並重新編纂成書。連載期間，感謝讀賣新聞文化部青沼隆彥、下田陽、山內則史等人多方協助。集結成書時則有勞中央公論新社瀧澤晶子襄助。僅在此表達謝意。

說完謝辭之後，若再說些「希望本書能成為讓讀者重拾名作的契機」之類道貌岸然的話，或許頗為有模有樣。不過讀者並不需要我多管閒事。評論的收尾就是難以擺脫訓話味，這是個問題。

後記

「評論的收尾就是難以擺脫訓話味，這是個問題。」

這是齋藤美奈子《名作要從最後一句開始讀》的收尾。這樣的結尾當然完全不是所謂「使出渾身解數的一句」，但頗讓齋藤頭疼了好一陣子，也是事實。（畢竟讀者肯定會想：「那這本書的結尾咧？」）沒想到「屁股」的問題居然讓我作繭自縛！真是現世報。

這本《名作要從最後一句開始讀》如今也加入中央文庫的陣容。

這年頭，文庫（口袋書）陣容變換快速，有些作品以前明明有文庫版，卻在不知不覺間消失，也有不少作品別說文庫版了，連存在本身都被遺忘了。但這一點就是「名作」的優勢所在。本書所介紹的作品中，絕大多數到現在都還找得到文庫版，往後應該依舊能以某些形式讀到。這並非偶然，因為我原先連載（《讀賣新聞》晚報專欄〈名作要從最後一句開始讀〉）的選書條件就是：「有文庫版或新書版可讀」，以及「尚未絕版」。

有趣的是，克服歷史的激烈浪濤沖刷、倖存至今的名作，即使時代或社會背景不同，讀過之後，也必定能衍生新的閱讀觀點，或是意想不到的詮釋。事實上，有些作品在本書出版後又翻拍成電影，或出版新譯本，讓我強烈感覺到名作總是不斷地翻新。由此意義來看，所謂名作，或許就是「能夠一再從中得到新啟發的作品」。文庫便宜又輕巧，不需要充電，也不會強迫你已讀必回。CP值這麼高的娛樂還能上哪找呢？

《名作要從最後一句開始讀》出版後，《讀賣新聞》上的連載專欄仍然持續下去，直到二〇一五年三月底又累積了許多回。

本書未收錄部分（二〇一二年一月至二〇一五年三月）集結為《名作要從最後一句開始讀Premium》（中央公論新社，二〇一六年二月出版）。為什麼叫「Premium」呢？好奇的讀者請務必親自發掘一讀。

問題是（我自認為）肩負起新使命「名作文庫導覽」的本書可以存活到何時？但願它能長長久久蒙受名作的餘澤。

二〇一五年十二月

齋藤美奈子

---

1. 新書為日本特定版型的書籍，長一七六公厘，寬一一三公厘。

名作要從最後一句開始讀
解讀古今文豪 132 部經典名著的結尾品味

名作うしろ読み

作者	齋藤美奈子
譯者	王華懋
社長	陳蕙慧
副總編輯	戴偉傑
特約編輯	周奕君
行銷企畫	陳雅雯、尹子麟、汪佳穎、林芳如
封面插畫設計	朱疋
內頁設計排版	季曉彤
集團社長	郭重興
發行人兼出版總監	曾大福
印務	黃禮賢、林文義
出版	木馬文化事業股份有限公司
發行	遠足文化事業股份有限公司
	地址　231 新北市新店區民權路 108 之 4 號 8 樓
	電話　02-22181417　傳真　02-86671065
	Email　service@bookrep.com.tw
郵撥帳號	19588272 木馬文化事業股份有限公司
客服專線	0800221029
法律顧問	華陽國際專利商標事務所　蘇文生律師
印刷	前進彩藝有限公司
初版	2022 年 3 月
定價	380 元
ISBN	978-626-314-125-4

歡迎團體訂購，另有優惠，請洽業務部 02-22181417 分機 1124、1135

特別聲明：有關本書中的言論內容，不代表本公司 / 出版集團之立場與意見，文責由作者自行承擔。

國家圖書館出版品預行編目（CIP）資料

名作要從最後一句開始讀：解讀古今文豪 132 部經典名著的結尾品味 / 齋藤美奈子著；王華懋譯. -- 初版. -- 新北市：木馬文化事業股份有限公司出版：遠足文化事業股份有限公司發行，2022.02

304 面；14.8 × 21　公分

ISBN 978-626-314-125-4（平裝）

1.CST: 閱讀指導　2.CST: 讀書法

019.1　111000316